«Книги Наталии отличает особая, светлая энергия — как будто припадаешь к живительному роднику. Они дают надежду, уверенность в себе и просто заставляют срываться с места и немедленно претворять все идеи и методики в жизнь. Эти книги — прекрасный подарок для друзей и всех тех, кому необходима надежда на лучшую жизнь. Спасибо за радость и вдохновение!»

Н. Шляпникова. Санкт-Петербург

«Мне посчастливилось встретиться с Наталией Правдиной в один из самых сложных моментов моей жизни. Благодаря разработанной ею системе я в течение двух недель сумела исправить негативную ситуацию. Фэн-Шуй помогает гармонизировать пространство вокруг человека, а работа с подсознанием, или внутренний Фэн-Шуй, воссоздает гармонию в самом человеке. Это благотворное сочетание позволяет достигать результатов вдвое быстрее. В народе есть выражение: „Хочешь быть счастливым — будь им". От себя я бы добавила: „И здоровым, и богатым, и любящим". Просто нужно осознать правила игры.

Сердечное спасибо Наташе за то, что она так щедро делится знаниями, которые еще десять-пятнадцать лет назад были просто недоступны многим из нас, за ее чуткость, внимательность, за свет, который она несет людям».

Ирина Медведева

«Это удивительная книга! Мудрость, которая изложена в ней, способна привнести в твою жизнь все дары и богатства Вселенной. Опыт Натальи Правдиной и ее многочисленных последователей во всем мире, к числу которых принадлежу и я, подтвердил истинность того, чему учит книга».

В. Харитонов (живописец)

«Мы все любим сказки и чудо. Начинаешь читать — и убеждаешься, что все можно изменить к лучшему. Начинаешь действовать — и видишь позитивные перемены. Я купила эту книгу, не имея никаких перспектив на работе и в личной жизни. После нескольких месяцев работы по методике изменения сознания и Фэн-Шуй мне прибавили зарплату и вокруг меня стали появляться интересные мужчины. Я очень рада. Да здравствует Новая жизнь!»

Ольга Королева

«Занимаясь по методике Наталии Правдиной и применяя знания Фэн-Шуй, я обрела возможность действовать осознанно и улучшить то, что можно улучшить, нейтрализовать то, что может навредить. Когда начинаешь менять себя, свой внутренний мир и свое жилище по законам Фэн-Шуй, то Вселенная откликается на это и подтверждает правоту наших действий, посылая нам то, в чем мы нуждаемся. Жизнь становится гармоничной.

Я бесконечно благодарна Наташе за то, что она доступно, легко и радостно несет эти знания людям».

Ольга С.

Наталия ПРАВДИНА

Практическое руководство мастера Фэн-Шуй, специалиста по трансформации сознания

Я привлекаю УСПЕХ

Как достигнуть успеха и реализовать свои желания, получая удовольствие

Санкт-Петербург
«Невский проспект»
2003

ББК 88.5
П 68

Наталия Борисовна ПРАВДИНА
Я ПРИВЛЕКАЮ УСПЕХ:
Как достигнуть успеха и реализовать свои желания, получая удовольствие

Главный редактор *М. В. Смирнова*; Ведущий редактор *Е. А. Павликова*
Художественный редактор *О. М. Бегак*

Лицензия ИД № 03520 от 15 декабря 2000 г.
Подписано в печать 31.07.2003. Гарнитура Баскервиль. Формат 84×108[1]/[32].
Объем 6 печ. л. Печать высокая. Доп. тираж 50 000 экз. Заказ № 306.

Налоговая льгота – общероссийский классификатор продукции
ОК-005-93, том 2 – 953000

Издательская Компания «Невский проспект».
Адрес для писем: 190068, СПб., а/я 625. Тел. (812) 114-68-46;
тел. отдела сбыта (812) 235-67-96, тел./факс (812) 235-61-37, 235-70-87.
E-mail: npr@npr.sp.ru, sales@nprospect.sp.ru, sf@nprospect.sp.ru;
http://www.nevskiy.ru

Отпечатано с фотоформ в ФГУП «Печатный двор»
Министерства РФ по делам печати, телерадиовещания
и средств массовых коммуникаций.
197110, Санкт-Петербург, Чкаловский пр., 15.

Правдина Н.
П 68 Я привлекаю успех: Как достигнуть успеха и реализовать свои желания, получая удовольствие. Практическое руководство Наталии Правдиной, мастера Фэн-Шуй, специалиста по трансформации сознания. – СПб.: «Невский проспект», 2003. – 192 с. (Серия «Деньги, карьера, успех»).
ISBN 5-94371-123-6

Наталия Правдина – профессиональный консультант по Фэн-Шуй, проводит семинары по психологии успеха и богатства в США и России.

Грамотное применение Фэн-Шуй дает каждому именно то, в чем человек нуждается более всего. Доказательством тому служит не только успех самого автора, но и удивительные изменения в жизни ее последователей.

Уникальность авторской методики в том, что она сочетает в себе древние знания Востока и новое позитивное мышление Запада. Следуя предлагаемой программе, вы постепенно измените сознание, внешний вид и жизнь в целом. Вы научитесь притягивать удачу, формировать привлекательный имидж, узнаете о флирте как основе для успешных взаимоотношений.

Книга подскажет, как применить учение Фэн-Шуй для достижения признания и активизировать энергию, приносящую успех.

ISBN 5-94371-123-6

СОДЕРЖАНИЕ

Часть 2
ВЫБИРАЕМ СВОЙ ИМИДЖ ПРАВИЛЬНО – ИДЕМ В НАПРАВЛЕНИИ УСПЕХА

Часть 3
ФЭН-ШУЙ ДЛЯ ДОСТИЖЕНИЯ СЛАВЫ, УСПЕХА И ПРИЗНАНИЯ

ПОСВЯЩАЕТСЯ
МОИМ СВЕТЛЫМ АНГЕЛАМ
ИЗ ВСЕХ МИРОВ

Мир, в котором я живу, называется мечтою.
Хочешь, я тебя с собой возьму?
Хочешь, поделюсь с тобою?
Я подарю тебе любовь,
Я научу тебя смеяться,
Ты позабудешь про печаль и боль
И будешь в облаках купаться!
Это мой мир, как он красив и светел!

Гимн Нового сознания (песня «Мой мир»)

ОТ РЕДАКЦИИ

В книге рассказывается об эффективной работающей методике по достижению счастья, преображения и процветания. В доверительной и остроумной манере автор знакомит читателя с Вселенскими Духовными Законами Успеха, продления и цветения молодости, привлекательности, а также делится собственными рецептами красоты, обаяния и влияния на окружающих. В книге приводятся истории людей, достигших замечательных успехов благодаря этой методике.

Некоторые рекомендации помогут внести необходимые изменения в убранство дома для стимулирования личного роста, процветания и изобилия. Большое внимание автор уделяет позитивному мышлению, настрою на успех и удачу и приводит множество примеров удивительных изменений в судьбах людей в результате занятий на семинарах по психологии успеха и богатства.

Книгу отличают свежий взгляд на жизнь, яркий, красочный язык и особенная атмосфера радостного восприятия жизни. Прочитав ее, вы сможете:

– обрести уверенность в себе;

– излучать успех и процветание, тем самым привлекая их;

– сохранить молодость и даже «перевести назад биологические часы»;

– найти дорогу к счастью и наслаждению жизнью путем самореализации и самосовершенствования;

– правильно использовать «язык тела» для передачи своих сообщений;

– научиться влиянию на людей и закрепить положительный эффект от своих слов и поступков;

– использовать знания Фэн-Шуй для успехов в карьере.

ВВЕДЕНИЕ

Есть одна забавная вещь в жизни. Если ты выбираешь только самое лучшее, то, скорее всего, ты получишь именно это.

Сомерсет Моэм

Здравствуйте, милые мои читатели!

Я очень надеюсь, что встреча с этой книгой принесет вам удачу. Она написана с верой и надеждой, что каждый найдет в ней свой индивидуальный путь к финансовой и личной свободе и новому, радостному восприятию мира, обретет силу и уверенность в себе, как это удалось сделать мне самой и множеству моих клиентов, читателей и слушателей.

Я сама прошла путь от слабой, болезненной девочки, которой врачи давали не очень много шансов не только на успех, но и на полноценную активную жизнь, до счастливой, здоровой и преуспевающей молодой женщины, любящей жизнь и наслаждающейся ею во всей полноте. Врачи со всеми их мрачными прогнозами ошиблись. Я никогда не верила их угрожающим диагнозам и жила так, словно все это относится не ко мне, а к кому-то другому, по случайности носящему такое же имя. Поскольку я не верила плохому о себе, я старалась делать все то, что я могла делать в настоящий момент, и то, что мне нравилось делать. Иначе говоря, я сосредоточивалась на том, что у меня было, и старалась это всячески развивать и улучшать. Сейчас я с радостью могу сообщить, что мрачные прогнозы врачей не оправдались! Медики не верили своим глазам — настолько улучшилось мое здоровье. А уж про настроение не стоит и говорить. Оно все время прекрасное, радостное и улучшается с каждым днем. Как говорит дон Хуан в книге К. Кастанеды: «Я просто изменил представление о самом себе».

Я могу с уверенностью сказать, что Новое сознание способно неузнаваемо изменить жизнь человека. Появляются новые, удивительные друзья, и все то, что раньше казалось недостижимой мечтой, воплощается с легкостью. Успех во всех начинаниях становится естественным, как дыхание. Желания исполняются.

Более того, открывается путь к совершенно новому видению мира и себя в нем. После первых успехов появляется сказочное чувство легкости и радостного понимания, что мы действительно сами создаем все в своей жизни. Я расскажу вам, как научиться изменять жизнь в лучшую сторону.

Сейчас, оглядываясь на свой путь, я понимаю, что часто действовала интуитивно правильно, как будто мой Ангел Хранитель подсказывал мне верные действия.

Однако поворотным моментом в моей жизни явилось знакомство со всемирно известным Мастером Фэн-Шуй Яп Чен Хаем и обучение у него. Конечно, эта встреча произошла не случайно, так как учитель всегда появляется, когда ученик готов. Я очень благодарна Фэн-Шуй, этой восхитительной науке о Земной Гармонии. Фэн-Шуй вывел меня на тот путь, который приносит бесконечную радость, процветание и новые возможности в жизни. Дело в том, что применение Фэн-Шуй дает человеку то, в чем он более всего нуждается.

Изучая и практикуя Фэн-Шуй, я обратила внимание на то, что его цель практически всегда заключается в привлечении денег и успеха, поскольку, имея дело с энергиями Земли, мастерам Фэн-Шуй удается «разбудить» земную энергию для привлечения успеха в свою жизнь. Тогда я предположила, что существует самостоятельная энергия изобилия. И оказалась права!

Следующим шагом для меня явилось внимательное изучение всего, что имеет отношение к энергии денег, жизненного успеха и удачи. Мне посчастливилось получить ценнейшие знания о высоком Искусстве жизни. Я стала понимать, что достижение успеха зависит не столько от постоянного, изматывающего, напряженного труда, сколько от определенного состояния сознания и настроя на превосходный результат.

Для меня как будто открылись небесные врата к счастью. И чем больше я узнавала, тем более обильным становился поток поступающих ко мне сведений о позитивном мышлении, любви к себе и о духовных законах успеха.

Результатом более чем семилетней практики Фэн-Шуй и психологии успеха и богатства явилась моя активная деятельность по распространению этих замечательных знаний. Сейчас я практикую в США и России как профессиональный консультант по Фэн-Шуй, провожу семинары по психологии успеха и богатства. Недавно вышла моя книга «Я привлекаю деньги»*. Однако самым большим моим достижением я считаю обретение абсолютной гармонии и равновесия в душе, что в свою очередь привлекает приятных мне людей, счастье и успех.

---

* Правдина Н. Я привлекаю деньги. СПб.: ИК «Невский проспект», 2002.

Многие из тех, кто обращался ко мне за помощью, нашли выход из сложных ситуаций.

Замечательным примером созидательной работы Фэн-Шуй явилась моя работа с одним производственным предприятием в Санкт-Петербурге. На тот момент, когда я стала производить изменения в кабинете директора завода, дела шли неважно, заказов не было, предприятие практически не работало. Спустя год после внедрения Фэн-Шуй производственные показатели выросли небывалым образом, завод работал в три смены, вместо сокращения кадров впервые за много лет рабочих снова нанимали! А в 2001 году завод удостоился высокого звания одного из ста лучших предприятий России!

Сочетание Нового мышления и использование техник Фэн-Шуй дает стабильный положительный эффект. Вы просто обречены на успех, если воспользуетесь методикой, которую я вам предлагаю.

Как поймать удачу за хвост? Как испытать удовлетворение от достигнутой цели и счастье от сбывшихся надежд? Как подняться над серыми буднями и воспарить в сияющем пространстве Успеха?

Ранее этими знаниями владели только избранные, и они не стремились распространять их среди непосвященных. Если сравнить эти духовные знания с лучами света, то на Землю поступало их очень мало, тонкими лучиками спускались они к людям.

Но нам с вами чрезвычайно повезло, так как поток знаний расширился многократно и превратился почти в водопад информации. «Имеющий уши да услышит!» Сегодня на эту тему существует много книг, достаточно назвать работы основоположников теории Нового позитивного мышления и достижения процветания и успеха Д. Карнеги, Н. Хилла, Д. Мерфи, Л. Хей, Д. Чопра...

Отличие данной книги в том, что мне удалось наложить американский опыт на наш отечественный менталитет. Я убеждена, что у нас, так любящих сказки и чудеса, есть все возможности для успешного претворения данной методики в жизнь. Более того, я гарантирую вам, что на протяжении всей работы над собой вы будете испытывать светлые, радостные и приятные ощущения. Многочисленные примеры моих друзей и последователей – тому подтверждение.

Среди благородных учителей человечества, на труды и мысли которых я опиралась при создании этой книги, я бы хотела отметить основателей Церкви Христианской Науки в США Марка и Элизабет Профет, известнейших авторов книг по позитивному мышлению Луизу Хей и доктора Дипака Чопра, влияние которого на становление человека Нового типа еще предстоит оценить по достоинству.

С помощью моих мудрых покровителей из Тонкого мира мне удалось узнать, накопить и применить на собственном опыте ценнейшие сведения по достижению успеха и процветания. Этот практический опыт я с радостью хочу передать вам, мои уважаемые читатели.

Надеюсь, что ваше самочувствие с каждым днем будет улучшаться и вы начнете находить все больше и больше позитивных моментов в своей жизни.

Я люблю это потрясающее чудо – Жизнь и стараюсь распространять эту любовь на все, что меня окружает.

Я уверена, что вы почувствуете красоту и прелесть успеха и процветания на своем положительном опыте. Желаю вам удачи и верю в нее.

Искренне ваша Наталия Правдина

Часть 1
Пробуждение созидательной силы сознания

«Когда мир говорит вам: „Это невозможно; этого никто не может сделать“, то человек с дисциплинированным, контролируемым и целеустремленным сознанием говорит: „Это уже сделано“».

Джозеф Мерфи

Я стремлюсь поделиться с вами некоторыми важными секретами, знание которых помогает любому человеку добиться желаемых результатов. Надо только захотеть. По-честному, без всяких «но» и «это не для меня». Договорились? Тогда – вперед.

Использование на практике сокровенных тайн Духовного Мира многие ведущие психологи признают действенным методом достижения успеха, процветания, счастья. Тысячи людей убедились в его простоте и действенности.

Недавно мне позвонила почтенная дама и, захлебываясь от восторга, сообщила, что всего после недели применения аффирмаций и визуализаций желаемых событий у нее произошли чудесные перемены. Ей предложили высокооплачиваемую работу, а ее сын получил вожделенную машину за счет компании, где он работает. «У меня нет слов, чтобы описать мою радость и восторг», — говорит она.

Сущность моей методики реализации мечты очень проста – это Радость, Смех, Любовь к себе и миру плюс знание основ Фэн-Шуй. Я хочу помочь вам создать такой мир, в котором вы обретете свободу, радость, научитесь наслаждаться самым священным правом – правом на жизнь, изобилие, успех, здоровье, – не причиняя вреда другим человеческим существам.

Я выбираю такой взгляд на жизнь, который помогает нам понять, что **мы сами** выбираем и формируем всю свою жизнь, так что, пожалуйста, определите для себя – хотите ли вы преодолевать бесконечные трудности для достижения успеха или же хотите достичь своих благородных целей, получая огромное удовольствие от процесса! Выбор за вами!

Думаю, вы предпочтете второе. Замечательно! Тогда позвольте мне сообщить, что эти захватывающие дух перспективы воплощаются в жизнь, если человек начинает постигать и применять на практике важнейшие Космические Духовные Законы Успеха. Эти законы универсальны, они работают для всех вне зависимости от возраста, пола, вероисповедания и образования и **обязательно изменят вашу жизнь к лучшему!** Причем произойдет это довольно скоро. И тогда вы обретете новое состояние сознания, где успех – норма жизни, а счастье – само собой разумеется. Вы начнете получать намного больше радости от жизни.

Это произойдет само собой, спонтанно, если вы будете следовать предложенным рекомендациям и делать упражнения внимательно и регулярно.

В процессе работы по трансформации сознания вы заметите, как начинают происходить следующие радостные события:

– у вас появится способность притягивать к себе только радостные события и приятных людей;

– ваши обаяние и привлекательность усилятся многократно;

— усилится ваше влияние на окружающих;

— вы будете чувствовать себя моложе и выглядеть лучше, и это многие заметят;

— вы научитесь правильно, с духовной точки зрения формулировать ваши желания для их скорейшего исполнения.

И это еще только самые общие результаты. Если вас вдохновляют эти прекрасные перспективы, то давайте приступим к нашему благороднейшему делу приобретения и утверждения счастья и успеха!

Глава 1
ЛЮБИТЕ СЕБЯ РАДИ БОГА. РАДИ БОГА ЛЮБИТЕ СЕБЯ!

> Я могу дать множество советов и множество чудесных новых идей, но только вы держите силу в ваших руках. Вы можете принять мои советы и идеи или можете не принять. Сила в ваших руках.
>
> *Луиза Хей*

Любовь к себе – это самый мощный стимул для успешного процесса Творения. При этом она не имеет ничего общего с амбициозностью и высокомерием. Человек, который по-настоящему любит себя, просто не в состоянии унижать других. Любое проявление тирании и презрение к людям проистекают как раз из подсознательного чувства неуверенности в себе. Только слабый и закомплексованный человек самоутверждается за счет подавления других людей. Мы уже договорились, что отныне вы, мои дорогие читатели, осваиваете восхитительную науку любви к себе, так как нелюбовь к себе, чувство вины и страхи тормозят ваше движение вперед.

Если человек недостаточно любит себя, то в глубине души он считает себя недостойным успеха, что на материальном плане и проявляется в виде неудач, проблем и осложнений.

Я не случайно начинаю наш разговор именно с этого. Без искренней, глубокой и нежной любви к себе достичь желаемого очень трудно. А мы с вами выбрали легкий и радостный путь, не правда ли?

Давайте же сделаем первый шаг...

Шаг 1 | КАК И КОГДА НАЧАТЬ?

Поздравляю вас, вы уже начали делать первые шаги на пути к удаче. Знаете почему? Потому что у вас есть желание. Если бы такого желания не было, вы бы вряд ли заинтересовались литературой на эту тему. А раз вы взяли в руки эту книгу, значит, уже двигаетесь в нужном направлении.

Пожалуйста, не думайте, что надо выбирать какой-то специальный день для начала занятий. У вас в руках ценнейшее средство – сила настоящего момента. Второе магическое средство – ваши слова, обладающие силой изменять будущее. И, наконец, третье средство, помогающее вам продвигаться в нужном направлении, – соответствующая случаю обстановка. Что я имею в виду? А то, что Вселенная очень «любит» символические жесты. Когда вы предваряете свои дальнейшие действия соответствующим ритуалом, это помогает вам сосредоточиться на конечном результате, тогда и интенсивность прилагаемой энергии становится значительно выше.

Поскольку вы сейчас приступаете к изменению своей жизни к лучшему, то и обстановка должна быть соответствующей. Выберите время, когда никого кроме вас нет дома, или просто попросите близких не беспокоить вас 15–20 минут. Многие психологические школы рекомендуют даже сделать несколько дыхательных упражнений перед открытым окном и облачиться в светлые одежды. Выбор – за вами. Действуйте так, как вам подсказывает сердце. И вообще, дорогие мои, настоятельно рекомендую вам в любой момент жизни внимательнейшим образом прислушиваться к тому, что подсказывает ваше сердечко. Оно-то знает, что для вас хорошо.

Итак, уединились, подышали свежим воздухом, прислушались к своему сердцу. Теперь можно переходить к главному. Пожалуйста, скажите вслух, желательно громко и отчетливо, что вы замечательный человек, что вы:

— одобряете все свои действия;

— любите всего себя так, как любит вас ваша мама (то есть, безусловно, просто за то, что вы есть);

— прямо сейчас принимаете все ценности и богатства этого мира;

— достойны всего наилучшего, что может предложить жизнь на нашей планете.

Прислушайтесь к тому, что происходит в вашем сознании. Вы слышите возмущенные возражения, «убедительные» доказательства вашей ограниченности, неспособности и т. д. и т. п.? Или вкралась вдруг мрачная мыслишка, что, дескать, все эти штучки давно известны, а на самом деле все обстоит совсем не так? Не огорчайтесь, прошу вас. Это совершенно естественная реакция вашего сознания на необычные установки. Нечасто у нас можно услышать от человека о его искренней любви к самому себе, а ведь это самая важная ступень на пути к безусловному успеху во всех начинаниях.

Недавно я попросила одного своего слушателя произнести вслух слова: «Я просто прелесть». (Кстати, это мои любимые слова о самой себе.) Когда он произнес эту фразу впервые, она звучала несколько натянуто. Во второй раз уже лучше, а теперь он, счастливо улыбаясь, уверенно говорит о себе: «Я просто прелесть». За месяц у него произошли значительные сдвиги к лучшему, он познакомился с очаро-

вательной девушкой, стал намного увереннее в себе, а ведь это только начало!

Успокойтесь и «введите» новую программу еще раз, а затем еще и еще. Будьте уверены: как только ваш язык привыкнет утверждать такие непривычные вещи, жизнь начнет меняться к лучшему.

Однажды ко мне обратился молодой пианист, который был настолько зажат внутренне, что считал себя слишком молодым (неопытным, бездарным, неудачливым и т. д.) для успешных выступлений. Он рассказывал, что когда родители подарили ему роскошный рояль, то он, вместо радости и благодарности, сильно опечалился: ведь его уровень не соответствовал качеству инструмента!

Пришлось много с ним работать, прежде чем он осознал, что любое человеческое существо заслуживает самых прекрасных благ по праву рождения. Включив себя наконец во Вселенский поток изобилия, наш музыкант стал завоевывать популярность, наслаждаясь своим любимым делом и стремительно растущей известностью.

Программа действий для привлечения успеха

1. Начиная с сегодняшнего дня я признаюсь себе в любви.

2. Я совершенно сознательно воспитываю в себе нежное, внимательное отношение к собственным нуждам и желаниям.

3. Я одобряю себя безоговорочно.

Я предлагаю вам стать для себя близким другом. Иными словами – полюбить себя и признать, что нет на свете ничего, что было бы слишком хорошо для вас. Это настолько важная мысль, что я буду возвращаться к ней постоянно для того, чтобы она прочнее внедрилась в ваше сознание.

Вспомните, чего мы всегда ждали в детстве от мамы? Правильно, утешения и одобрения. А что вам мешает стать самому себе родной матерью? Да, собственно говоря, ничего. Вы же лучше всех знаете, что именно хорошего говорила вам мама. Вот и хвалите себя за каждый, даже за самый незначительный, успех. Начинаем прямо сейчас:

— приготовили вкусный суп: «Умница, замечательная девочка (мальчик)» (вне зависимости от возраста);

— успели на работу вовремя: «Ну, да ты просто прелесть у меня»;

— не забыли про день рождения свекрови (тещи): «Лапочка моя, ты с каждым днем становишься все умнее и умнее!»;

— ну а если удалось получить повышение, то и вовсе не жалейте ласковых слов, какие только сможете придумать.

Мне, например, очень нравится обращение, которое использовал мнимый дядя Аладдина из известной сказки: «Здесь ли живет Избранник Счастья и Хан Удачи – Аладдин?» Кстати, не забудьте ответить утвердительно, если вас кто-нибудь так спросит. Давайте станем для себя избранниками счастья и ханами удачи!

Моя собственная мама теперь при самой обыденной работе неустанно повторяет: «Ах, какая я прекрасная, как я великолепно все дела свои делаю!» Это намного полезнее, чем ворчать и ругаться. Попробуйте — ваши близкие наверняка это оценят! Особенно важно подбадривать себя и говорить себе самые нежные и ласковые слова, если вы утомились. Ваше подсознание мгновенно откликнется, и вы обретете душевный комфорт. А с этим ощущением можно и горы свернуть!

Как-то, уже давно, мне пришлось дежурить за себя и за свою коллегу, которая попросила ее заменить. По удивительному совпадению объем работы в эти дни превысил все мыслимые ожидания. Причем по окончании рабочего дня нужно еще было составить валютный финансовый отчет, малейшая ошибка в котором могла стоить очень дорого (он проверялся «товарищами» из спецотдела). Я помню, как в состоянии безумной усталости принялась за отчет и поняла, что у меня совершенно нет сил.

Знаете, что я сделала? Я закрыла глаза и стала говорить себе самые нежные словечки, которые только могла вспомнить и придумать. Я называла себя лапонькой, кисуленькой и говорила, что такая восхитительная умница, как я, конечно же, может справиться с таким простеньким отчетом.

В итоге я приступила к работе, напоенная собственной любовью к себе, и сделала все быстро и правильно! Более того, когда я закончила, коллеги угостили меня каким-то потрясающим бодрящим напитком, и я пошла домой радостная и удовлетворенная.

Как только подсознание слышит и узнает ласковые «мамины» слова, оно мгновенно реагирует и дарит вам спокойствие, уверенность в незыблемости и безопасности окружающего мира. В результате вы обретаете внутреннюю стабильность и сложные проблемы решаются быстрее.

Не забывайте о животворящих теплых словах самому себе!

Программа действий для привлечения успеха

1. Начиная с сегодняшнего дня я провожу установку на стабильно позитивное отношение ко всем своим начинаниям.

2. В сложные моменты я обеспечиваю себе «мамину» поддержку, произнося ласковые, нежные слова в свой адрес.

3. Я использую каждый удобный случай для того, чтобы похвалить и подбодрить себя.

Вы чувствуете, что я с самого начала рекомендую вам обратить повышенное внимание на самих себя? Совершенно верно, ведь именно вы — главное действующее лицо в многоцветной мистерии вашей жизни. Именно от вас, а точнее, от ваших взаимоотношений с самим собой и с верой в постоянную Божественную поддержку зависит конечный результат.

Поэтому я призываю вас начать захватывающее путешествие в мир исполнившихся надежд с установления близких и доверительных взаимоотношений с самым главным человеком в своей жизни — с вами!

Человек в течение своей жизни проходит множество этапов. В пору детства, юности и зрелости мы встречаем и расстаемся с разными людьми. Все они посылаются нам для достижения определенных целей в эволюции нашей души, но единственный человек, который всегда остается с вами, — это вы сами. Постарайтесь доставлять себе как можно больше радости и удовольствия. Совсем не надо ждать этого от других. Вы же знаете себя и свои вкусы лучше, чем кто-либо, вот и используйте любую возможность порадовать себя.

Упражнение «День удовольствий»

Скажите, что первое приходит вам в голову, когда вы пробуждаетесь ото сна? Готова поспорить, это скорее всего судорожные мысли о том, как не опоздать, что надо сделать, собрать детей, накормить мужа... продолжить можете сами. Знакомо? Да, конечно. Дорогие мои, день, начатый таким образом, несет в себе именно эти вибрации суеты, спешки и напряжения. А для достижения наших высоких целей подобное состояние совершенно не подходит. Помните песенку из мультфильма о капитане Врунгеле: «Как вы яхту назовете, так она и поплывет». Давайте правильно назовем нашу яхту, то есть наш прекрасный новый день!

Есть замечательная, на мой взгляд, техника, позволяющая с самого начала, с утра, перепрограммировать свой день на удовольствие.

Попробуйте намеренно вызвать у себя мысли об удовольствиях, которые вы можете себе сегодня доставить. Пусть это будут самые обычные, но приятные лично вам вещи.

Представляете, вы лежите в постели и с блаженной улыбкой планируете всякие милые вашему сердцу штучки, которые вы сегодня **для себя** сделаете. Например, сделаете прическу в самом престижном салоне или позволите себе просто полежать с маской на лице полчаса после работы. Начинайте с самых «невинных» радостей и проследите, к чему это вас приведет.

Еще один вариант этого упражнения можно выполнять, когда вы уже встали и смотрите на себя в зеркало. Надеюсь, вы никогда не говорите себе в этот момент: «Ой, какой кошмар!» или еще что-нибудь в этом роде. Мысль материальна, друзья мои, материальна. Никогда не забывайте об этом. Не зря умница Алла Борисовна часто повторяет: «Какая я красивая. Какая Я красивая. КАКАЯ Я КРАСИВАЯ!!!»

Так вот, в тот момент, когда вы впервые в этот день увидели свое отражение, скажите: «Дорогая моя ласточка, я тебя очень люблю и сделаю сегодня для тебя все, что могу. Чего ты хочешь? Купить новые туфли, сходить в сауну, позвонить любимой подруге, – солнышко мое, да для тебя – все что угодно! Я сделаю все, чтобы доставить тебе удовольствие».

Вы увидите, это дает просто потрясающие результаты.

Во-первых, ваше подсознание будет весь день нежиться в любви, отчего у вас поднимется настроение.

Во-вторых, это же подсознание поможет так сформировать события наступающего дня, что вы справитесь с будничными обязанностями намного легче, спокойнее и с лучшим результатом. Кроме того, вам обязательно удастся выкроить время для обещанных себе удовольствий.

А в-третьих, необычная установка будет привлекать необычные результаты. Например, вы можете внезапно осознать, что день ознаменовался для вас каким-то радостным событием или резким «скачком» в работе. Результаты могут быть самыми неожиданными, но всегда (!) – радостными.

В итоге к вечеру вы с удивлением заметите, что устали меньше, чем обычно, окружающие чуть поменьше стали «загружать» вас своими проблемами, да и настроение у вас совершенно другое. А ведь все дело в программе на удовольствие!

Светлана всегда выходила на работу, ожидая неприятностей, разносов от многочисленного начальства, и старалась всем угодить. Разумеется, это самое начальство «считывало» внутреннюю установку Светланы на неприятности и всегда находило видимые причины для выговоров. Приходя домой, расстроенная женщина занималась с дочкой-капризулей и, выбиваясь из сил, выполняла все домашние работы, чтобы угодить мужу. Конечно, такая схема взаимоотношений не приносила никакой радости ни Светлане, ни ее семье, так как окружающие постоянно видели суетливое, забитое существо, на которое можно покрикивать и получать при этом разные блага.

Когда наконец терпение Светланы иссякло, она, посетив мой семинар по самотрансформации, поняла, что может изменить свою жизнь. Раньше она ставила интересы близких и работу выше собственной личности.

Осознав же свою ценность, женщина начала практиковать утренний настрой на удовольствие. Начав с самых простых радостей жизни, она продвигалась вперед, придумывая для себя все более и более приятные вещи. Вскоре она заметила, что непримиримый ранее начальник «вдруг» сам пошел на уступки, стал больше ее хвалить. А поскольку Светлана стала уделять себе больше внимания, то и настроение и внешний вид ее изменились к лучшему, что не могло не сказаться на отношениях в семье.

«Надо же, кто бы мог подумать, что такая простая вещь, как утренний настрой на удовольствие, приносит столько радости! — делилась со мной сияющая Светлана. — Теперь я буду говорить себе, что я принцесса, за которой ухаживает целая армия слуг. Вдруг это поможет мне привлечь к домашним делам мужа и дочку?..»

Поможет, Светлана, непременно поможет, ибо свое представление о себе мы транслируем в окружающий мир, что привлекает соответствующий ответ.

Помните, что каждый раз, когда вы делаете насилие над собой, вы теряете энергию. А ее-то как раз надо собирать и активизировать для достижения целей в жизни. Постарайтесь сосредоточиться и не позволять себе рассеивать свою драгоценную творческую и жизненную энергию на многочасовые сидения перед телевизором, болтовню по телефону и общение с неприятными людьми. Вообще, для достижения радостных успехов не теряйте зря отпущенное вам судьбой время. Человек действительно способен на любые чудеса, только если его действия будут направленными!

Занимайтесь тем, что вдохновляет вас, общайтесь с теми, кто вам приятен, носите те вещи, в которых вы выглядите привлекательными и комфортно себя чувствуете. Как можно чаще доставляйте себе маленькие и большие радости!

Все эти шаги совершенно необходимы для вхождения в новую жизнь!

Программа действий для привлечения успеха

1. Каждый новый день я начинаю с благодарности Богу и мысленного предвкушения удовольствия, которое только могу представить.

2. Я сознательно отношусь к окружающим меня людям и предметам и стараюсь максимально улучшить качество моей жизни.

3. Я стараюсь доставить себе как можно больше радости, начиная с милых подарочков и расширяя атмосферу счастья по мере роста моего сознания.

Шаг 4 | КРИТИКА — ЭТО НЕ ДЛЯ МЕНЯ!

Вы окажете себе неоценимую услугу, если научитесь одобрять все свои действия. Не позволяйте самокритике и беспокойству терзать вашу душу! Критикуя себя, мы лишь воздвигаем препятствия на пути к успеху. Поэтому возьмите себе за правило контролировать любые негативные мысли по отношению к себе. Как это сделать? Очень просто. Организуйте своеобразную «таможню» и строго контролируйте поступление критических мыслей. Пусть ваша таможня «дает добро» только мыслям, поддерживающим вашу высокую самооценку. Это совсем несложно. Попробуйте, и вы очень скоро увидите результаты.

Именно после того, как я полностью изменила отношение к себе с критичного на понимающее и любящее, в моей жизни стали происходить маленькие чудеса. Теперь они стали нормой моей жизни, о чем я постоянно говорю своим близким. Чудо – это просто новый способ жизни. И творите это чудо вы сами, используя потрясающий потенциал вашего сознания и направленной энергии.

Пожалуйста, помните о том, что любые сомнения в собственных силах и удачливости «считываются» Вселенной и реализуются. Поэтому будьте безоговорочно уверены в успехе и любите себя!

Часто бывает, что чувство неполноценности закладывают в нас самые близкие люди.

Одна милая дама рассказывала мне, как ее собственная мать постоянно внушала ей, что все дела, за которые она бралась, ей не под силу. Представляете, каково это — слышать постоянно от самого близкого человека: «У тебя ничего не получится. За что ты берешься? У тебя ничего не выйдет». Конечно, трудно понять, что руководило в данном случае мамой, — по-видимому, обычная боязнь соперничества, зависть, — но в своей дочери она воспитала чувство неполноценности. Ох, как трудно было той преодолеть все комплексы, заложенные мамой, но она нашла в себе силы это сделать. И сейчас эта женщина наслаждается полнотой жизни, озаренной Новым сознанием, любовью и уважением к себе. Кстати, она сделала неплохую карьеру. Но при этом ей пришлось, по ее словам, всю жизнь «выдавливать из себя маму».

Внимательно прислушивайтесь к себе, чтобы понять, исполняете ли вы свои собственные желания или же уступаете желаниям других, пусть и близких людей. Учтите, что настоящий успех приходит только в том случае, если вы реализуете **свои собственные устремления** в жизни!

Французский философ XVII века Франсуа де Ларошфуко написал: «Не говорите о себе плохо. Это сделают за вас ваши друзья» Может быть, заявление не очень оптимистичное, но я готова с ним согласиться. Критика себя и своих действий препятствует счастливому настрою, а следовательно, мешает достижению главных целей.

Программа действий для привлечения успеха

1. Начиная с сегодняшнего дня я освобождаюсь от всех критических мыслей в свой адрес.

2. Я внимательно слежу за своими мыслями и пропускаю через мысленную «таможню» только позитивные и поддерживающие меня мысли.

3. Я прислушиваюсь к своим словам и говорю как уверенный и влиятельный человек.

4. Я исключаю из своего лексикона все слова, унижающие меня, в том числе и шутливые высказывания типа: «Ну и дурака же я свалял» и т. п. У Вселенной нет чувства юмора, и она принимает все за чистую монету.

5. В случае какой-нибудь ошибки я говорю себе: «Все хорошо. Это уже в прошлом, и я сосредоточиваюсь на скорейшем решении проблемы».

Шаг 5 | ОСВОБОЖДАЕМСЯ ОТ СТРАХОВ И СОМНЕНИЙ

Мы сделали несколько важнейших шагов на пути открытия своих внутренних потенциалов через любовь к себе. Никогда не стоит недооценивать важность самоуважения и высокой самооценки. Я полагаю, что вам, мои дорогие читатели, стало уже намного приятнее жить на этом свете, ибо мир с собой – весьма привлекательная штука. Нам с вами осталось только сделать еще один шаг на пути подготовки нашего сознания для осуществления желаний – избавиться от страхов и сомнений.

Предвижу хор возмущенных голосов: «В человеке должен быть страх! Это естественно!» и т. д. Да, конечно, страх, как и любая эмоция, – часть физиологии человека, но не допускайте, чтобы он контролировал ваши поступки! Хочу подчеркнуть: **если действие основано на страхе, то ни к чему хорошему оно не приведет!**

Мне очень нравятся слова Остапа Бендера в «Двенадцати стульях»: «Когда будут бить, будете плакать!» Не надо предвосхищать негативные события.

Драгоценные вы мои, с уверенностью говорю вам: человеку вообще нечего бояться! Есть замечательные слова известной американской писательницы и проповедницы Нового сознания Шакти Гавэйн: «Между нами и Господом нет ничего, что бы нас разделяло, так как мы есть Божественное выражение творческого принципа. Мы содержим внутри нас потенциал для всего». Чего же нам бояться? Представьте себе, что бы вы предприняли для осуществления вашей мечты, если бы не боялись неудачи? О чем бы мечтали, зная, что возможно все?

Вселенная «считывает» наши страхи и неуверенность и материализует их в виде всевозможных неудач, препятствий и ограничений. И тогда человек говорит: «Ну вот, я так и знал, что мне не повезет», не подозревая, что он сам и создал такую ситуацию.

Человеческие страхи и сомнения создают энергетическое облако определенной (далеко не высокой) вибрации, которое «сцепляется» с подобными низкими вибрациями других людей и буквально тянет человека вниз. И наоборот: сильное желание, подкрепленное абсолютной уверенностью в успехе, соединяясь с подобными ему вибрациями, крепнет и помогает человеку в достижении желаемого.

У меня есть знакомая, которая буквально каждую фразу начинает словами: «Ой, я так испугалась!» — на что я всегда ей отвечаю: «Да что же ты такая пугливая-то?!» Наконец она все поняла и перестала так говорить, отчего и поведение ее тоже изменилось. Теперь у нее появились уважение к себе и уверенность.

Пожалуйста, не забывайте о том, что вас слышат! Каждую минуту, каждый день вы сами творите свое будущее, свою жизнь. Наполните ее радостью и силой, а не страхами и сомнениями!

Упражнение «Пернатые помощники»

Одна моя клиентка и замечательная женщина говорит так: «Нам с пернатыми друзьями все по плечу». Ну разве можно лучше-то сказать? Почувствовав неуверенность в своих силах, призовите на помощь ваших невидимых, но могучих помощников из Тонкого мира – Ангелов. Не сомневайтесь – они придут и помогут.

Моя бабушка меня учила всегда перед выходом на улицу говорить: «Ангел мой, пойдем со мной. Ты вперед, я – за тобой. Аминь. Аминь. Аминь». И все будет замечательно!

«Силы небесные со мной!» – еще один вариант обращения.

Одна немаловажная деталь: не забывайте поблагодарить ваших замечательных друзей за помощь или даже просто за то, что благополучно вернулись домой. Можно сказать искреннее спасибо. Не сомневайтесь, они услышат!

Жить с уверенностью в своих силах очень приятно. А убеждаться в том, что настрой на успех приносит успех, – еще приятнее. Попробуйте хотя бы ради интереса прожить сначала один день без сомнений в своих силах, затем еще один, и еще, а потом вы и забудете, что значит неуверенность, страхи и сомнения.

Программа действий по привлечению успеха

1. С сегодняшнего дня я контролирую свои мысли и настраиваюсь на силу, удачу, успех.

2. Как только меня начинают одолевать грустные мысли о собственной несостоятельности, сомнения или страхи, я произношу фразы: «Я создан(а) для победы», «Я выбираю только успех для себя», «Я есмь

великая сила успеха», «Я принял(а) твердое и непоколебимое решение преуспеть во всех делах, и все мои планы успешны».

3. В трудную минуту я обращаюсь к силам небесным за помощью, и помощь приходит. Всегда. Для утверждения успеха я говорю: «Я всегда нахожусь под защитой своих Ангелов Хранителей».

4. Если перед началом важного для меня дела я испытываю чувство страха, то говорю: «Я знаю тебя, страх. Я не позволю тебе управлять моей жизнью. Я понимаю, что ты пришел, чтобы защитить меня. Спасибо. Я всегда защищен(а)». Я отдаю себе отчет в том, что перед началом нового всегда приходит страх, чтобы удержать меня в знакомой ситуации и не отпустить в незнакомую. Это совершенно нормально, и я отпускаю страх и сомнения от себя.

Глава 2
ГРАМОТНО ЗАПУСКАЕМ ПРОГРАММУ ОСУЩЕСТВЛЕНИЯ ЖЕЛАНИЙ

Через двадцать лет вы будете больше разочарованы теми вещами, которые вы не сделали, чем теми, которые вы сделали. Так отчальте от тихой пристани. Почувствуйте попутный ветер в вашем парусе. Двигайтесь вперед. Мечтайте. Открывайте.

Марк Твен

Бог разговаривает с нами каждый день. Мы просто не знаем, как Его услышать.

Махатма Ганди

...Слушай меня: молчи, и я научу тебя мудрости.

Иов, 33: 33

Прочитав первую главу, вы ознакомились с главными принципами радостной и гармоничной жизни, которая, собственно говоря, и приводит к успеху.

А сейчас мы переходим к более глубокому анализу ваших собственных желаний, ибо без этого трудно двигаться дальше. Пристегните ремни безопасности, так как мы отправляемся в новую реальность, где «все мои желания исполняются и все мечты сбываются». Готовы? Тогда жмем на педаль газа!

Для достижения успеха надо найти доступ к своей истинной природе, иными словами – научиться любить себя и относиться с вниманием, уважением и доверием ко всем вашим желаниям и устремлениям. Реализация желания – именно та волшебная лестница, по которой мы возносимся к звездным небесам нашей мечты.

Народные сказки являются прекрасным примером того, как полезно мечтать. Что такое мечта? Это сфокусированное желание! Я прекрасно помню, как все бедные девушки в сказках мечтали быть принцессами, возлюбленными сказочных принцев. И ведь становились! Желание творит чудеса, особенно если оно сочетается с чистым сердцем.

Относитесь внимательно к своим желаниям, ибо это те маячки, которые указывают правильный путь к вашему совершенствованию, а следовательно, к счастью, успеху и благополучию.

К сожалению, почти все мы воспитаны таким образом, что привыкли подавлять свои желания в угоду коллективу, семье и т. д. В итоге мы имеем то, что имеем: неудовлетворенность, раздражение, которые перерастают в неудачи и болезни нашего тела. Сплошь и рядом мы видим примеры того, как желания и устремления ребенка подавляются в семье, особенно это касается выбора профессии. Ребенку хочется заниматься техникой, но раз в семье потомственные врачи, то его заставляют учиться в нелюбимом институте. Как вы думаете, способствует ли это появлению талантливого эскулапа? Ответ очевиден. Когда человек занимается делом, к которому не лежит его душа, он в большинстве случаев не достигает ничего. Ему это просто неинтересно!

Поэтому слушайте ваших детей! Они еще не утратили связь с создавшей их Высшей силой и зачастую говорят просто удивительные вещи.

Когда мне было восемь лет, на стандартный вопрос «Кем ты хочешь стать, когда вырастешь?» – я абсолютно уверенно отвечала: «Певицей или астрономом». Мои сочинения всегда были предметом гордости учительницы литературы и прочитывались в параллельных классах. К сожалению, ни первое, ни второе, ни третье не нашло должной поддержки в семье, и в итоге я мучилась в экономическом институте, не имея ни малейших способностей к математике. Разумеется, на стезе экономики меня успех не ждал, так как мне это совершенно не нравилось.

Только после того, как мне удалось наконец заняться действительно любимым делом – Фэн-Шуй, психологией, эзотерикой, написанием книг, – успех пришел сам по себе.

А все дело в том, что меня с самых малых лет невероятно волновал и притягивал Космос с его загадками и любой вид артистической деятельности. Прошло много лет, прежде чем мне все-таки удалось реализовать свои способности.

Обычно у детей с самого нежного возраста заложены ростки способностей и желаний, которые при правильной реализации способны вывести личность на невероятный уровень развития. Задача взрослых – чутко и внимательно разглядеть эти изящные ростки будущих талантов и помочь ребенку развить их.

То же самое происходит и со взрослыми. У каждого жителя Земли обязательно есть какой-то талант. И у вас обязательно есть что-то, что вы делаете очень хорошо, с удовольствием, радостью и вдохновением. Обычно занятие именно своим делом и приводит нас к успеху, благополучию и – часто – к славе.

В Санкт-Петербурге живет совершенно уникальный человек — Юрий Гальцев. Те, кто знаком с его творчеством, наверняка уже улыбаются. Тем же, кто его не знает, спешу сообщить, что Юрий — феноменально талантливый клоун, комик.

Билеты на его концерт распродаются моментально, залы переполнены. А видели бы вы лица людей на концертах Гальцева! Это какой-то фейерверк чистой человеческой радости, счастья, веселья. Просто неописуемое чувство вызывает этот «моряк-балтиец» у людей.

Секрет его успеха в том, что он занимается ***своим*** *делом. По образованию Юрий музыкант и долгое время играл на гитаре, пока кто-то ему не сказал: «Слушай, что ты делаешь в ансамбле — ты же прирожденный комик!» Вот так. И он стал клоуном, на радость себе и людям. Не думаю, что имя Гальцева было бы столь популярно, останься он на старом месте.*

Чувствуете, к чему я веду? Правильно, сейчас мы с вами будем учиться прислушиваться к своему Высшему «Я» для осознания нашего истинного пути.

Достижение настоящего успеха возможно, только если вы занимаетесь тем, что приносит радость вам и окружающим. В этом случае успех приходит спонтанно, легко и радостно. А для этого необходимо знать — что же, собственно, мы хотим.

Шаг 1 | ВЫБИРАЕМ ЖЕЛАННУЮ ЦЕЛЬ

Я прошу вас отнестись к следующему шагу весьма серьезно и торжественно. Купите новый красивый блокнот (не экономьте, ведь для себя же стараетесь), желательно красного цвета, но это не обязательно. Положитесь на свой вкус. Возьмите красивую ручку. Включите приятную для вас музыку, однако если вы являетесь приверженцем тяжелого рока, выберите на этот раз что-нибудь другое, например Моцарта или любую медитативную музыку. Присядьте в удобное кресло. Расслабьтесь. Сделайте несколько вдохов и выдохов, не думая при этом ни о чем.

А теперь – самое главное. Подумайте, что именно является для вас радостной и желанной целью. Пусть только это будет именно ваша цель, а не то, о чем думает кто-то другой. Спросите себя, чего вы и только вы хотите получить в своей жизни. Не скупитесь в своих мечтах!

Определите ваше желание. Запишите его в специально приготовленный для этой цели блокнот. (Самое интересное будет потом, примерно через годик, когда, заглянув в него, вы увидите, какие сдвиги произошли на пути к осуществлению вашей мечты.) Если с воображением возникают проблемы и мысли разбегаются, то ответьте на следующие вопросы и обязательно запишите ответ все в тот же блокнот.

– Какое занятие доставляет вам наибольшую радость?

– Чего вы хотите больше всего на свете?

– Каким вы видите себя через пять, десять, пятнадцать лет?

– Что вы хотите делать, каким вы хотите быть, что вы хотите иметь сейчас и в будущем?

– Какое качество жизни вы бы хотели для себя?

Не скромничайте, представьте себе самый лучший для вас вариант. Ни в коем случае не ограничивайте свою фантазию. Дайте, наконец, свободу воображению. Вы обладаете чудесным даром в буквальном смысле слова создавать свое будущее. Поверьте в это.

Проникнитесь чувством уверенности в собственных силах и в том, что ваши невидимые друзья обязательно вас поддержат. Однако, внимание! Помните о том, что у Вселенной нет чувства юмора и она исполняет **все наши мысли и желания**, поэтому никогда даже в воображении не рисуйте свое будущее, будущее своих детей и нашей планеты в мрачных красках, договорились?

Когда я еще и знать не знала ни о каких духовных законах, я часто говорила: «Вот когда-нибудь я обязательно напишу книгу о своей удивительной жизни». И вот, пожалуйста, пишу уже вторую книгу. Работает!

Теперь я говорю: «Вот когда я буду миллионершей...» А почему бы и нет? Ведь мечты имеют обыкновение сбываться!

Теперь вам осталось только искренне поверить, что все так и будет. Ну как, получается? Не совсем? Как вы думаете, что мешает этой блистательной картине будущего воплотиться в жизнь? Это ваши мысли о собственной слабости, неверие в чудо, услышанные в детстве негативные установки, которые обладают способностью блокировать поступление к вам всех земных благ. Запомните: сомнение в доступности успеха во всех его проявлениях равносильно отрицанию его для себя!!!

Очень показателен пример одной моей клиентки, которая настолько уверовала в собственную никчемность, что нам пришлось начинать с самых простых вещей. На мой совет посетить салон красоты она совершенно искренне спросила: «А меня туда пустят?» Бедность этой женщины поражала воображение, одевалась она в поношенные халатики, не смея тратить на одежду свои скудные средства, но у нее было главное — огромное желание изменить свою жизнь к лучшему и вера в то, что это возможно. Она внимала моим словам с горящими глазами, производила необходимые изменения в доме и в сознании, так что буквально через месяц после тренинга в ее жизни начали происходить положительные перемены.

Когда через год мы встретились снова, передо мной стояла яркая, нарядная, уверенная в себе женщина. Она призналась, что после знакомства с Духовными Зако-

нами Успеха стала планомерно применять их в жизни. По мере изменения ее сознания стали меняться и обстоятельства. Радостное восприятие мира переросло в уверенность в себе. Эта женщина с радостным смехом рассказала мне, что сейчас она действительно производит впечатление состоятельной женщины и ей это чрезвычайно нравится! Да и мужчины стали проявлять заметный интерес к нашей даме. Но самое главное — она с уверенностью смотрит в будущее и знает, что сейчас ей все по плечу.

Еще один важный момент: ваше тело является точнейшим индикатором энергетических вибраций. Когда вам предстоит принять решение, от которого многое зависит, прислушайтесь к своему телу. Как вы себя чувствуете в момент подписания данного договора? Комфортно ли вам? Спокойны ли вы? Вы можете испытывать чувство возбуждения перед новым делом, это вполне нормально, но если тело посылает вам сигналы опасности – будьте начеку. Сердце все знает.

Один мой знакомый бизнесмен рассказывал, что однажды, подписывая контракт, он ощутил такую тяжесть в груди, будто он преодолевал что-то в себе. Вроде бы ничего не вызывало сомнений, разум говорил, что все в порядке, но сердце посылало сигнал неблагополучия. И что же? Милые люди, с которыми был подписан контракт, исчезли вместе с деньгами, и поиски их обошлись бы дороже, чем сумма контракта. Теперь он всегда прислушивается к своему телу и не испытывает подобных проблем. А ведь это так просто!

Многие называют меня очень смелой и удачливой. А на самом деле я внимательнейшим образом настраиваюсь на ощущения своего тела, ибо знаю, что таким образом мое Высшее «Я» направляет мой выбор. Ощущение комфорта и легкого волнения для меня – ценнейшее руководство к действию. Я знаю, чего хочу, и это знание приводит меня к успеху.

Программа действий по привлечению успеха

1. С сегодняшнего дня я буду внимательно прислушиваться к себе, чтобы определить свои желания, ибо именно исполнение желаний ведет меня к радости и успеху.

2. Я буду представлять свое будущее и будущее нашей планеты в самом прекрасном и светлом виде. Я сознательно рисую образы безграничного счастья и благополучия для себя, ибо знаю о важности программирования на успех.

3. Я обязательно буду заниматься тем делом, которое люблю больше всего на свете и которое позволит мне воплотить мои уникальные таланты и способности.

4. В момент принятия решения я прислушиваюсь к тонким посланиям своего сердца. Если оно посылает сигнал радости, я устремляюсь вперед, так как знаю, что добьюсь успеха. Если же сигнал приносит мне дискомфорт, я выжидаю и не предпринимаю решительных действий. Я доверяю интуиции своего тела.

Шаг 2 | ПОДКЛЮЧАЕМСЯ К ПОЛЮ БЕЗГРАНИЧНЫХ ВОЗМОЖНОСТЕЙ

Все философские учения сходятся на том, что если у человека мир и покой в душе, то и работа у него спорится, и мир оборачивается только светлой стороной.

Согласитесь, чего стоит достижение, например, финансового благополучия, если человек работает по тринадцать–пятнадцать часов в день, дома может только вяло поесть, безучастно глядя в телевизор, а затем «бревнышком» заваливается в постель, где забывается тяжелым сном? Где уж тут радость и удовлетворение от достигнутого?

Нет, не такого будущего я вам желаю, дорогие мои. Есть и другой вариант достижения успеха, и все в наших умелых руках.

Давайте подумаем, что дает нам осознание своей Божественной природы? В каждом из нас заключена частица Божественного Духа, а значит, мы всегда незримо соединены с нашим Светлым Источником. Те, кто умеет подключаться к этому вселенскому «компьютеру», где происходит бесконечный процесс творения, наслаждаются легким и радостным проявлением успеха на материальном плане, то есть в жизни. Именно легким и радостным.

«Это в природе Земли – вращаться с головокружительной скоростью, проносясь через космическое пространство. Это в природе младенца – пребывать в блаженстве. Это в природе Солнца – светить. И в природе человека – облекать свои мечты в физическую форму легко и без усилий», – пишет мой уважаемый учитель Дипак Чопра в книге «Семь духовных законов успеха».

Самое главное – это войти в поток космической энергии и затем просто плыть в этом гармоничном потоке. Для достижения такого приятного во всех отношениях состояния мы с вами научимся выходить «на связь» со своим Высшим «Я» как выражением и представителем Высшей организующей силы природы.

Самый действенный метод установления связи со своей Божественной сущностью – это медитация, или, попросту говоря, полное расслабление. Для того чтобы соединиться с творческой силой природы, прежде всего надо остановить свой внутренний диалог, отпустить все мысли и попробовать просто существовать в этом мире, ни о чем не судя, не вынося оценок и ни о чем не думая.

Если вы никогда раньше не медитировали, начните с небольших сеансов расслабления по десять–пятнадцать минут. Затем, накапливая опыт, вы научитесь продлевать это состояние. Вы можете делать это перед сном или после пробуждения, когда вам удобнее. Главное – настроиться на самого себя, включить приятную музыку и попросить домашних хотя бы полчаса не звать вас к телефону.

Замечательный врач и философ Дипак Чопра утверждает, что через состояние медитации можно подключиться к Полю Чистой Потенциальности. Знаете, почему оно так называется? Потому что в нем возможно все!

Если вам это название кажется не совсем обычным, вы можете использовать любые другие, какие

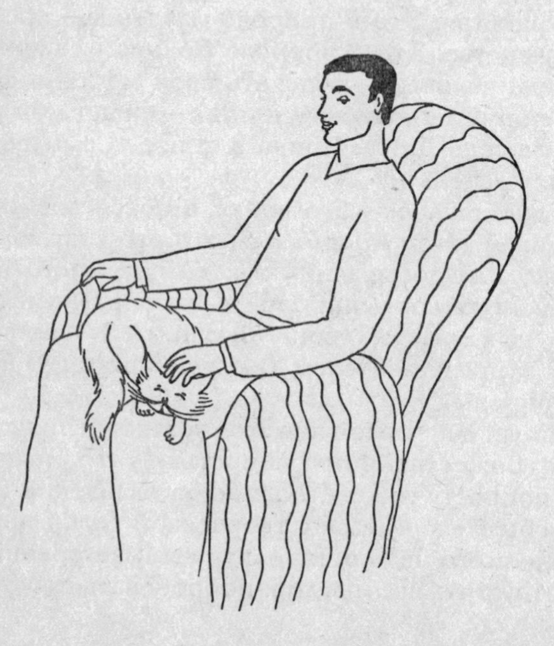

вам больше нравятся. Например, вам наверняка знакомо понятие «эгрегор». Если нет, то напомню, что эгрегор – это сконцентрированный сгусток энергии, выделенный в результате мыслительных процессов или воли человека, а также группы людей. Существует эгрегор искусства, науки, религии и т. д. Или Космический разум, или Безграничный дух. В любом случае, как бы вы ни назвали это разумное восхитительное начало во Вселенной, суть не меняется – это созидательная сущность Вселенной.

Секрет заключается в том, что, успокоив свои мысли и подключившись к Полю Чистой Потенциальности, мы можем вводить туда **свои желания** и они будут услышаны Высшей силой. Почему нельзя просто сказать или попросить? Потому что в обычном состоянии непрерывного внутреннего диалога и повседневных мыслей нас действительно трудно услышать. Еще одна небольшая цитата из книги Дипака Чопра «Семь духовных законов успеха»:

«Представьте, что вы бросили в пруд небольшой камешек и наблюдаете, как по поверхности воды расходится рябь. Немного погодя, когда рябь успокоится, вы бросаете следующий камешек. Именно это вы делаете, когда входите в пространство чистого безмолвия и вводите туда свое намерение. В этой тишине даже самое слабое намерение вызовет рябь на поверхности универсального сознания, которое связывает между собой все.

Но если вы не добились неподвижности сознания, если ваш разум подобен бурному океану, бросайте туда хоть Эмпайр Стэйт Билдинг, вы ничего не заметите».

Есть еще несколько вариантов вхождения в Поле Чистой Потенциальности. Это те особые состояния вашего сознания, когда все вокруг вас чрезвычайно радует и приносит высочайшее наслаждение жизнью.

Представьте себе, что вы общаетесь со своим любимым питомцем (котенком, собачкой – неважно, главное, чтобы вы его любили), смотрите на новорожденного малыша и испытываете ни с чем не сравнимый восторг перед таинством жизни и радость от общения с этими прекрасными ее выражениями. Знайте, что в этот момент вы находитесь там, где надо, то есть взмываете над обыденностью. В некоторых психологических практиках такое состояние называется Парением.

Не упускайте возможность высказать свое заветное желание. Вас услышат! В такие моменты чистой радости и любви вы попадаете в другое измерение, где закладываются причины событий. Ловите такие моменты!

Упражнение «Чудесное парение»

Представьте, что вы лежите на поляне, в окружении благоухающих цветов. К вам приближаются ваши самые любимые животные или персонажи любимых сказок. Почувствуйте, как все вам рады. Все приветствуют вас ласковыми словами, прикосновениями. Легкий ветерок обвевает ваше лицо, донося чарующий аромат цветов. Вы – в полной безопасности. Вас все любят, и вы любите всех.

А сейчас вы осознаете, что рядом – лазурное море. Отдайтесь звуку и ритму волн. И вот, когда вы чувствуете, что вам очень хорошо, – настало время ввести свое самое заветное желание. Это нужно сделать правильно, а именно – с удовольствием.

Представьте то наслаждение, которое вы испытаете, когда ваше желание станет реальностью. Почувствуйте свою радость от достигнутого уже успеха. Вы – победитель!

У вас есть все, о чем вы мечтали: дом на берегу теплого моря, яхта, покачивающаяся на лазурных волнах, высокое положение в обществе и прекрасный любимый человек.

Поживите жизнью своей мечты. Почувствуйте восхитительный запах толстых пачек денег. Войдите в банк самым почетным клиентом. Мечтайте обо всем, что вам надо, пока не почувствуете, что вы наполнены сбывшейся мечтой. После этого можете возвращаться в обычное состояние.

Могу вам сказать, что некоторые люди общаются с Тонким миром во время массажа, лежа на теплом песке у моря, после восхитительного акта любви, когда тело полностью расслабляется. Все полезно, выбор за вами! Используйте такие приятные мгновения для установления прочного фундамента своего успеха. Творите и радуйтесь! Запоминайте все свои приятные ощущения и используйте их после в процессе работы над своей мечтой.

Вперед, туда, где нас обязательно ждет Госпожа Удача!

Программа действий по привлечению успеха

1. С сегодняшнего дня я буду посвящать хотя бы двадцать минут в день расслаблению тела и разума, медитации.

2. Во время медитации я постепенно отпускаю все будничные мысли, дела и заботы и наслаждаюсь чудом бытия.

3. В тот момент, когда я достигаю полного расслабления, я легко и без напряжения отпускаю четко сформулированное желание к источнику творения, в поле безграничных возможностей.

4. Я больше не беспокоюсь о том, исполнится ли мое желание. Я уверен(а), что все произойдет в лучшее время и лучшим образом для меня. В то же время я продолжаю настойчиво трудиться над исполнением моего желания. Я знаю, что оно уже исполняется.

Шаг 3 | УЧИМСЯ ПРАВИЛЬНО ФОРМУЛИРОВАТЬ ЖЕЛАНИЯ

Если мы с вами направляемся по пути Счастья и Успеха, то следующей остановкой на этом блистательном пути будет, конечно же, исполнение желаний.

А почему бы и нет? Разве я не говорила вам, что мы сами творим свое будущее? Мы с вами — духовные существа, проходящие опыт жизни в человеческих телах. Осознание этого факта дарует нам безграничные возможности творения.

Да, друзья мои, мы действительно способны творить, ибо созданы по образу и подобию Божию. А раз так, то, значит, во всех нас заложено Божественное право выбора и творения.

В каждом желании уже заложен план его удовлетворения — так устроен этот мир. Ведь желания приходят к нам тоже не откуда-нибудь, а из Тонкого мира и подсказывают нам, в каком направлении лучше всего двигаться для достижения наилучшего результата.

Я, конечно, не имею в виду те желания, которые проистекают от пристрастия к наркотикам или направлены во вред другим людям. Подобные желания, даже если их и удовлетворить, вызовут обратный «ответ», ибо все, что мы отдаем, возвращается к нам с удвоенной силой. С нами по пути только тем, кто никогда не причиняет вреда живым существам, в том числе и самому себе.

Как же грамотно запустить нужную программу в жизнь?

Если вы страстно чего-нибудь желаете и грамотно размещаете «заказ», то будьте уверены: во Вселенной уже вовсю кипит работа, чтобы это ваше желание удовлетворить. А то ведь бывает, что жаждет чего-нибудь человек, а потом вдруг неожиданно изменяет свое желание, порой даже на прямо противоположное. Вы представляете, какая суматоха в

Тонком мире начинается после этого? Ваши добрые помощники вместо благодарности получают еще одно задание, коль скоро первое побоку, и — опять за работу.

А вы вдруг опять изменяете направление своих мыслей... Именно из-за этого далеко не все наши желания исполняются так, как нам надо.

Виктор всегда имел склонности к занятию бизнесом. Ему нравилось составление контрактов, заключение сделок и ощущение свободы, которое дает частное предпринимательство. В глубине души он всегда представлял себя работающим в крупной корпорации. Но случилось так, что в частной фирме, где он работал, был застой в делах, а ему предложили более высокую должность на государственном предприятии.

И наш герой, основываясь только на доводах разума и своего эго, хотя сердце подсказывало другое, выбрал повышение в должности, но зато несвободу в делах. Виктор не знал правил успеха и не послушался своего сердца, пошел против своего желания.

Нетрудно догадаться, что вскоре на новом месте работы произошли сокращения кадров ввиду дефицита бюджета, и Виктор оказался не у дел.

В итоге он все-таки вернулся на старое место, продолжает занятие любимым бизнесом, и даже стал держателем акций своей фирмы.

Если вы чего-то очень хотите, то двигайтесь именно в сторону вашего желания, а не в противоположную. Часто мы принимаем неверные решения по незнанию законов Тонкого мира, вот потому-то мы с вами и встретились, чтобы вы могли осознать важные законы успеха в жизни. И не только осознать, но и использовать их себе на пользу и Светлым Силам на радость. Ибо добрым помощникам нашим вовсе не безразлично, счастливы мы или нет.

А то еще бывает, что почти уже готово исполнение сокровенного желания вашего. Уже и блюдечко подготовлено, чтобы вам его преподнести, а вы вдруг отчаялись. Или вовсе разуверились в силе помощников ваших. В таком случае они, помощники, лишаются силы, и то, что вот-вот должно было произойти, – не происходит.

Как-то на семинаре один из слушателей отреагировал на мои призывы мечтать о высоком следующим образом: «А я вот просто не верю, что могу получить роскошную иномарку в своей жизни». А кто же тогда поверит, если сам человек не верит, то есть не подпускает счастье для себя?!

Знаете, как лучше всего поступить? Верить, что все получится, и успокоиться. Вот тогда точно получится. Доверьтесь огромной творческой силе Вселенной найти лучшее решение вашей задачи. Наслаждайтесь состоянием «здесь и сейчас» и верьте, что все у вас будет!

«По вере вашей дано будет вам», – написано в Библии, так что верить надо до конца.

Для того чтобы помочь в этом тонком деле, даю вам стройный план для работы с вашими желаниями.

План по осуществлению желаний:

❖ Решите, что для вас важнее всего.

Позвольте Вселенной осуществлять ваши желания по очереди. Невозможно получить все сразу, хотя очень хочется, я понимаю. Терпение, терпение, всему свое время. Если вы все делаете правильно, то все желаемое у вас будет.

Если для вас сейчас самое важное – успех в бизнесе, карьера, – что ж, прекрасно. Четко сформулируйте для себя цель: допустим, стать главным менеджером или солистом балета. Правда, если в настоящее время вы вообще не танцуете, то для достижения славы балетного танцора вам, возможно, потребуется следующая жизнь. Это, конечно, шутка, однако ставьте перед собой высокие, но не фантастические цели, договорились?

❖ Составьте список своих желаний.

Таким образом, вы совершенно точно дадите знать Вселенной, что именно вам нужно. «Что написано пером, того не вырубишь топором», – народная мудрость, как всегда, права. Очень полезно закреплять свои желания в письменном виде. Тогда идет работа на всех планах – и подсознательном, и материальном. Вы уже делаете первый шаг к осуществлению своего желания, так как воплощаете идею в зримую форму. Это очень важный шаг! К тому же, когда вы воочию видите то, к чему стремитесь, результат кажется вам более досягаемым. Вы притягиваете к своим мечтам жизненную энергию!

Упражнение «Карта сокровищ»

Есть несколько вариантов выполнения этого упражнения.

Вариант 1. Составьте развернутую таблицу по годам и темам. Например, напишите, чего вы хотите достигнуть в карьере, личной жизни и т. д. через пять, десять, пятнадцать лет. Перед вами предстанет стройная картина вашего движения к успеху. Помимо всего прочего, такой обзор даст вам панораму желаемых событий и поможет четко осознать свои цели.

Вариант 2. Вы можете написать список своих самых жгучих желаний и хранить его в пределах досягаемости. Смотрите на него перед сном, после пробуждения, представляйте себе самые радужные картины. В общем, полностью войдите в образ.

Вариант 3. Составьте «Карту сокровищ». Те, кто применял этот метод, говорят, что он удивительно эффективен и точен.

Вам понадобится лист ватмана, ножницы, клей и большое количество красивых журналов. Просмотрите журналы, выберите иллюстрации, которые наиболее точно отображают вашу мечту. Это может быть роскошная вилла, автомашина последней марки, фондовая биржа, образ очаровательной блондинки (брюнета), которые вам особенно по душе. Вам остается только вырезать эти привлекательные образы и наклеить вокруг своей фотографии, расположенной в центре.

Применяя этот метод, надо учитывать знание Фэн-Шуй: картинки, связанные с деньгами, размещайте в левом верхнем углу; изображения милых вашему сердцу партнеров – в правом верхнем углу; прямо под своей фотографией, то есть по центру внизу, можно разместить картинки, связанные с карьерой, например небоскребы Уолл-Стрита, фондовые биржи, роскошные офисные здания и т. д.; а прямо над своей фотографией наклейте изображения очень знаменитых людей в момент награждения золотой медалью или что-нибудь в этом роде.

Очень известная в США проповедница и основательница церкви Элизабет Профет рассказывает, что после того, как скончался ее горячо любимый муж Марк Профет, она разбирала его личные бумаги. Каково же было ее удивление, когда она наткнулась на пожелтевшую от времени «Карту сокровищ», сделанную еще юным Марком во времена службы в армии, примерно в 1939—1943 годах. В секторе любви красовалось фото неизвестной девушки, как две капли воды похожей на Элизабет. Более того, тот дом, в котором сейчас находилась Элизабет и в котором они прожили много десятков счастливых лет, тоже был изображен на фотографии в виде мечты. Пришло время, и все исполнилось!

- Четко сформулируйте свое желание.

  По возможности, выразите его в нескольких конкретных словах, например: «Я становлюсь начальником отдела с окладом три тысячи долларов». При этом, если такие заработки невозможны на старом месте работы, – будьте готовы к переходу на другую работу, не бойтесь перемен.

У меня был случай, когда клиент, мечтающий о высокооплачиваемой должности, был уволен с работы. В ужасе он прибежал ко мне и спрашивает: «Как же так, вы же обещали хорошие результаты?!» На самом деле у него просто не было перспектив на старом месте службы, и Высшие силы помогли ему оттуда уйти. В течение месяца моему недоверчивому клиенту удалось устроиться на новое место, где он получил и подходящий пост, и солидную зарплату.

- Формулируйте желания только в утвердительной форме.

  Когда вы говорите нечто вроде: «Я не хочу больше жить с этим алкоголиком», то ничего, скорее всего, не изменится. Лучше всего сформулировать так: «Я выбираю для себя наилучшего партнера».

  Формулируйте желания в утвердительной форме и в настоящем времени, как будто вы это уже получаете.

  В своей первой книге «Я привлекаю деньги» я уже писала о силе человеческих желаний. Вселенная – это зеркало, в котором отражается человек. Поэтому, если вы говорите: «Я хочу», – Вселенная возвращает такое послание как: «Ты хочешь». Если вы говорите: «Я очень-очень хочу», – то получаете ответ: «Очень-очень хочешь».

  Улавливаете? Да, друзья мои, надо говорить и мыслить так, как будто ваше желание уже исполнено. Например, вы мечтаете об изысканной квартире в престижном доме, а кто-то из близких с ехидцей спрашивает: «Ты что, такой богатый?» На это всегда надо свободно отвечать: «Да». В подробности можете не вдаваться. Только **никогда** не говорите, что вы бедны. Не поддерживайте обывательские разговоры о тяготах жизни, иначе именно их вы и получите в реальности.

Более того, чтобы усилить воздействие на разумную Вселенную, благодарите ее так, будто ваше желание уже исполнилось. Благодарность открывает двери неограниченным возможностям.

Знание Духовных законов позволяет нам общаться с Тонким миром на его языке, и именно поэтому надо использовать **утверждения** наших желаний. Например:

— «Я с благодарностью получаю новую трехкомнатную квартиру»;

— «Я с благодарностью Высшим силам получаю машину марки „Мерседес“ синего цвета с салоном из белой кожи»;

— «Я благодарю за прекрасные предложения от деловых партнеров».

❖ Желание должно быть безопасно для вас и окружающих.

Есть такая поучительная притча. К одному купцу попала книга исполнения желаний. Думая испытать ее, он сразу пожелал десять тысяч золотых. В тот же момент дверь открывается, входит страховой клерк и вручает купцу десять тысяч монет как страховку за погибшего родственника. Купец в отчаянии выбрасывает книгу.

Дабы избежать подобных ситуаций, к формулировке своих желаний необходимо всегда добавлять слова: «К высшему благу всех окружающих» или: «К высшему благу всех, кто имеет к этому отношение».

Кстати, примите как добрый совет: каждый раз, зажигая свечу, не упустите возможность посвятить ее своим близким и любимым людям. Таким образом вы увеличите количество добра и любви в мире и улучшите свою карму, что весьма благотворно скажется на скорости исполнения ваших желаний.

Даже если у вас имеются в наличии недруги или конкуренты, пошлите им благословение при работе со своими желаниями. Пожелайте им что-нибудь приятное, например перевод на другую, более высокооплачиваемую работу. «Пусть им будет хорошо там, где нас нет». И так оно и будет.

Никогда никому не желайте зла во время вашей работы по продвижению к сияющим высотам. Наоборот, пожелайте добра недругам своим, и вы увидите, насколько это лучше. Проверено, работает!

Программа действий по привлечению успеха

1. Я определяю свое самое главное желание и приступаю к его реализации. Я сегодня же составлю список своих желаний, чтобы дать знать Вселенной, чего же, собственно, хочу достичь в этой жизни. Я постоянно помню о своей цели и думаю о ней, чтобы создать четкий мыслеобраз.

2. Я помню о том, что желание, позитивное и сформулированное в настоящем времени, должно содержать в себе благодарность, как будто оно уже исполнено.

3. Я знаю, что желание мое должно быть направлено только на благо мне и окружающим. Я сознательно улучшаю свою карму искренними пожеланиями добра и счастья окружающим меня людям.

Все, что вы сейчас прочитали, имеет очень большое значение в построении вашей новой успешной жизни. Исполнение этих рекомендаций вовсе не так уж трудно, как кажется. Несколько раз потренировавшись в грамотном составлении желаний, потом вы все будете делать автоматически. Не пропускайте эту часть нашей методики, не ленитесь.

Часто скептически настроенные люди говорят: «А, это мы сто раз слышали, ничего нового в этом нет!» Да, слышали, но не делали, поэтому и результатов нет. Ведь и музыкальные симфонии существуют в виде нот для всех желающих, однако виртуозных исполнителей во всем мире ценят на вес золота.

Пришло время действовать. Вы вооружены знанием весьма мощных Вселенских Законов. Все в ваших руках. Действуйте!

Если хотите добиться результата, как многие успешные люди, – выполняйте все по порядку. Могу добавить, что я максимально упростила упражнения, так как знаю и о дефиците времени, и о многих делах, которые вам еще предстоят. Скажите спасибо, что я не призываю вас написать ваше желание сорок девять раз, поставить свою личную подпись сорок девять раз и проделывать это в течение сорока девяти дней, отказавшись на это время от употребления мясной пищи и алкогольных напитков. Хотя для тех, кто заинтересовался, сообщаю, что это древний китайский метод привлечения желаемых событий в жизнь. Каждый раз после написания листок с желанием следует сжечь. Считается, что, когда дым уходит в небо (или в вытяжку), Вселенная вас слышит.

Хочу поделиться с вами случаем из жизни, который я назвала «Золотой слон».

На заре моего увлечения Фэн-Шуй я искала золотого слона для оформления кабинета руководителя. Я буквально бредила этим золотым слоном, я так четко себе его представляла, какой он толстенький и блестящий. Почему-то мне не удавалось найти его в продаже сразу, но он существовал у меня в голове.

Через несколько дней приезжает из другого города мой отец и привозит мне двух (!) золотых сло-

нов. Учтите, что он был в отъезде и не знал о моей «золотой слоновой лихорадке». Когда я его спросила, почему вдруг он решил купить этих слонов, он ответил, что не знает, но руки сами потянулись к ним.

Итак, желание у вас оформлено, защищено и записано. Вы только что сделали невероятно важный шаг на пути к достижению заветной цели. Вы **сами поняли**, что же вам надо. Ведь не каждый человек, если явится к нему джинн из лампы, четко и внятно произнесет свои сокровенные желания. А вы уже можете! Вы готовы к осуществлению чуда. А если вы готовы, то чудо не замедлит произойти. От всей души поздравляю!

Расскажу вам про одну женщину, которая пришла ко мне на консультацию. Она явно была недовольна течением собственной жизни. Быт замучил, дети, работа и т. д.

Когда мы с ней дошли до этой стадии занятий, она с ужасом произнесла, что у нее вообще нет никаких высоких желаний. Были только какие-то смутные и неясные мысли о том, что надо изменить свою жизнь к лучшему, но конкретно она ничего придумать не смогла.

Пришлось нам с ней сесть и вспоминать, как нужно мечтать о счастье. Когда мы с ней установили четкие цели, то и настроение у нее улучшилось, а там и дела на поправку пошли.

Не стесняйтесь в своих мечтах, ведь ограничивает нас только наше воображение. Не бойтесь расширять горизонты ваших мысленных достижений. Творите! Радуйтесь! Фантазируйте! И Вселенная обязательно услышит вас. Не забывайте о том, что процесс Творения – это Божественный процесс.

Теперь соединим наше четко сформулированное желание с Полем Чистой Потенциальности.

Каждый раз, погружаясь в медитацию и освобождая сознание от посторонних мыслей, вспоминайте о своем желании, проговаривайте его, представляйте его уже исполнившимся. Укрепите этот образ в своем сознании. Пусть цель ваша будет совершенно реальной для вас. Пусть губы привыкнут выговаривать ваш новый пост, или звание, или определенную, желанную для вас сумму денег.

А что же дальше делать, спросят мои нетерпеливые читатели? Отвечу: отпустить свое желание во Вселенную. Как? А как шарик воздушный отпускаете. Легко и радостно. Я же обещала вам, что на всем протяжении работы по нашей методике вы только удовольствие будете испытывать, вот и вспомните, как в детстве шарики разноцветные в небо отпускали и мыльные, сияющие всеми цветами радуги пузыри выдували. Вот именно с таким настроением и надо свои желания во Вселенную отпускать.

При этом, пожалуйста, испытывайте полное доверие к своим незримым помощникам, расслабьтесь, не напрягайтесь. Не уподобляйтесь тем нетерпеливым детям, которые норовят подглядеть, что именно родители под рождественскую елку положили. Доверьтесь великой творческой силе Разумной Вселенной.

Елена, познакомившись с данной системой, поверила в нее всей душой. И, что важно, сразу же приступила к реализации своего желания. У нее была конкретная цель — получить прибавку к зарплате. Девушка стала работать над изменением своего сознания, составила список желаний, использовала аффирмации (краткие позитивные утверждения) для закрепления мыслеобраза. У нее было все для достижения успеха, включая самое главное — безоговорочную веру в положительный результат.

Через несколько месяцев Лене прибавили зарплату. Она, смеясь, рассказывала мне, что принимала деньги с чувством глубокого удовлетворения, повторяя про себя слова аффирмации: «Все мои желания сбываются и мечты осуществляются». После этого ей повышали зарплату еще несколько раз в течение одного только года.

Лена говорит, что стала настолько уверенной в себе, что принимает эти дары совершенно спокойно, зная, что она достойна всего самого лучшего.

Знайте: все, что происходит, – для нашего высшего блага, и если желания подчас исполняются не совсем так, как вы ожидали, не отчаивайтесь. Будьте уверены, рано или поздно вы все равно получите то, что вам надо, и даже больше. Великая созидающая сила, частица которой есть и в вас, найдет возможность реализовать ваши планы наилучшим для вас образом.

Еще одно важное дополнение. Желательно не афишировать свою работу по исполнению желаний. Не надо вмешивать чужую энергию, не всегда доброжелательную, в такую тонкую материю. «Иди и никому не сказывай». Правда, если у вас есть истинный, надежный друг, разделяющий ваши мечты, то с ним очень даже полезно разговаривать и представлять себе прекрасную цель. Более того, подобные разговоры только усиливают вашу идею и добавляют ей энергии. Общайтесь с единомышленниками, с теми, кто вас воодушевляет. Кстати, общение с единомышленниками, по подсчетам ученых, продлевает жизнь примерно на шесть лет. Здорово, правда? Но ни в коем случае не рассказывайте о своих планах людям скептическим, завистливым. В свое время они и так все узнают.

Примерно через полгода – год загляните в ваш список желаний, и вы будете поражены, увидев, что все сбывается почти дословно. А как же иначе, я ведь говорила вам, что мы можем творить!

Программа действий по привлечению успеха

1. После того как я введу свое желание в Поле Чистой Потенциальности, я отпускаю его и доверяю Высшей силе «продумать» все детали по его воплощению в жизнь.

2. Я испытываю чувство глубокого доверия к этой величайшей созидательной силе Вселенной и поэтому совершенно не беспокоюсь об окончательном результате, так как знаю, что все совершится к моему высочайшему благу.

Глава 3
СОЗДАЕМ ПОЛЕ УДАЧИ ВОКРУГ СЕБЯ

Существуют только две ошибки, которые может совершить человек по пути к истине: он не проходит весь путь и не начинает свой путь.

Гаутама Будда

Скажи, этот путь волнует тебя? Если да, то это правильный путь, если нет, то он тебе не нужен.

Карлос Кастанеда

Тебе скучно жить? Тогда займись каким-либо делом, в которое ты веришь всем сердцем. Живи ради него. Умри за него, и ты обретешь такое счастье, которое ты и не представлял, что когда-нибудь будет твоим.

Дейл Карнеги

Я с восторгом и трепетом приступаю к этой главе, ибо в ней, на мой взгляд, содержатся основополагающие установки для привлечения блистательного успеха, благополучия, процветания и признания ваших талантов на выбранном поприще. Здесь будет рассказываться о том, как использовать силу нашего сознания в качестве своеобразного катализатора, ускоряющего достижение славы, успеха, счастья.

Поверьте, для меня это не только слова. Я убедилась на собственном опыте и на опыте многих и многих людей, применяющих данную методику, что изменение сознания способно реально и довольно быстро изменить нашу жизнь именно так, как мы того хотим.

Более того, создается впечатление, что благотворные процессы в сознании и подсознании раскручиваются по спирали, захватывая все более и более глубокие пласты событий, человеческих взаимоотношений, причинно-следственных связей. На мой взгляд, создается ситуация, когда успех работает на нас, а не мы на успех. А нам остается только, доверившись мощному потоку, двигаться вместе с течением в том направлении, которое мы сами выбрали...

Это потрясающее чувство я уже испытала, и моя дхарма, или задача этого воплощения, состоит в том,

чтобы донести это чудесное учение до вас, стремящихся, ищущих и надеющихся. Мои Высокие покровители обеспечивают меня всем необходимым, посылают чудесных помощников, чтобы я могла как можно скорее выполнить свою миссию. И я стараюсь, видит Бог, я стараюсь. Иногда у меня создается впечатление, что мне не только создают попутный ветер, но и влекут вперед с огромной силой для того, чтобы как можно большему количеству людей смогла я рассказать о Новом сознании, как можно более широкие круги последователей смогла охватить своими книгами, выступлениями за короткий срок.

Настало время Нового сознания. Настало время сознательно выбирать, какую жизнь вести – зависимую от обстоятельств или свободную, веселую, творческую, наполненную бесконечным восторгом созидания и счастья.

Прошу вас, отнеситесь со вниманием к моим словам, ибо для тех, кто услышит, начинается действительно Новая жизнь.

Шаг 1 | «ПРОСТО Я РАБОТАЮ ВОЛШЕБНИКОМ...»

Вспомните, с чего начинаются все волшебные приключения? С того, что какая-либо чудесная сила (золотая рыбка, джинн или добрая фея) спрашивает героя: «Какое твое самое сильное желание?» И вот после этого начинаются чудеса...

Мы с вами уже полностью определились с желаниями, то есть приготовились к встрече с джинном, не так ли? Тогда вперед, и пусть Божественная правда сияет нам на нашем блистательном пути к победе.

Для достижения успеха сначала надо его выбрать! Иными словами, выберите для себя успех. Сделайте это сознательно, твердо, и пусть ничто не сможет разубедить вас в правильности сделанного выбора.

Звучит просто, да? Так все гениальное просто, вы же знаете.

Нил Доналд Уэлш в своей сенсационной книге «Разговоры с Богом» пишет: «Нет ничего, что ты не можешь иметь, если ты это выберешь». Главное – это осознать. Осознанный выбор способен творить чудеса.

Представьте, что вы покупаете билет на самолет. В этот момент происходит процесс выбора направления движения. Если ваш выбор – Южное побережье Франции, то самолет перенесет вас именно туда, и вскоре вы будете наслаждаться райскими видами, теплым морем и изысканными винами. Если же выбор направления – Воркута, то самолет послушно перенесет вас туда, куда вы и хотели, только вместо величественных гор и ароматных цветущих лугов вы увидите бескрайнюю тундру, почувствуете трескучий мороз, и вам предложат прокатиться на вездеходе по тундре, прихватив пару бутылочек горячительного. Чувствуете разницу? А ведь все дело в вашем выборе! Вы же сами выбирали направление. Никто ни в чем не виноват. Так устроен мир.

Пассажир самолета, выбирающий направление движения, – это ваше сознание. Самолет – ваше тело. Куда пассажир захочет, туда и полетит самолет.

На телевидении США есть передача, ведущий которой приглашает для бесед богатых и знаменитых людей. Гостями этой передачи побывали практически все знаменитости нашего времени, в том числе и наш соотечественник, дирижер Мариинского театра В. Гергиев.

В один из вечеров приглашенным был владелец крупнейших отелей и казино в Лас-Вегасе, миллиардер Стив Винн, кстати весьма обаятельный человек. Он с детства страдал неизлечимой болезнью глаз, которая со временем прогрессирует и ведет к полной слепоте. На вопрос ведущего передачи, не страшно ли ему, этот уникальный человек ответил: «Вы знаете, если бы я выбрал (!) лечение, я бы сейчас мотался по клиникам, делая бесчисленные операции, и, скорее всего, не имел бы денег вообще. Вместо этого я предпочел (выбрал!) стать миллионером, и вот я здесь, я наслаждаюсь всем тем, что у меня есть. А что касается болезни, то пока растут мои миллионы, я думаю, все-таки найдут средство борьбы с ней!»

Вот это сознание и образ мыслей преуспевающего человека. Он выбирает успех. Он выбирает деньги.

Кстати, не потому ли в Америке столько преуспевающих людей, что там давным-давно используют силу позитивного мышления. Каждый бизнесмен, с которым я беседовала в Америке, знает об этом и использует это знание в своих интересах.

И еще один «американский» пример. Дональд Трамп, весьма известный миллионер, несколько раз терял все свое состояние. Для слабого человека одного раза достаточно, чтобы покончить с жизнью. Когда человек внезапно теряет все деньги, особенно большие деньги, то он попадает в «королевство кривых зеркал», где ему приходится вести жизнь, весьма далекую от той, к которой он привык. Но Дональд Трамп знал, что он миллионер, несмотря ни на что. Он выбрал для себя путь миллионера, и поэтому ему удалось вернуть и приумножить все свое состояние. Я не думаю, что это было бы возможно, если бы он не применял на практике законы силы сознания.

В любой момент времени, что бы вы ни делали, помните о своем выборе. Утверждайте его. Кричите о нем (про себя или вслух, если вы одни). Вы увидите, как быстро начнут проявляться позитивные результаты. При первом же хотя бы небольшом достижении обязательно скажите себе примерно так: «Ну, конечно, все правильно, я же выбираю успех, вот он ко мне и идет». Я знаю людей, которые при первых проблесках долгожданной удачи говорят: «Я не верю, что это со мной происходит». Знакомо? Не уподобляйтесь им, ибо, произнося такие слова, вы отталкиваете свою удачу. Помните, что вы достойны всего самого прекрасного в жизни. Еще цитата из Доналда Уэлша: «Чтобы изменить свою реальность, просто перестань думать о ней по-прежнему». В данном случае вместо того, чтобы думать: «Я хочу успеха», – думай: «Я успешен».

Итак, все, что вам нужно сделать, – это **выбрать** для себя **успех**. Осознанный выбор и вдохновенная вера в него творят самые настоящие чудеса. При этом в настоящем моменте могут происходить события, которые совсем не устраивают вас, но пусть в вашем подсознании всегда живет уверенность в окончательной победе, и так оно и будет!

Программа действий по привлечению успеха

1. С сегодняшнего дня я выбираю для себя направление к безусловному успеху.

2. Я уверен(а) в том, что сила моего направленного позитивного сознания способна творить чудеса, и каждый день напоминаю себе, что я рожден(а) победителем.

3. Утром после пробуждения, вечером перед сном и во время медитации я говорю такие слова: «Я рожден(а) для успеха и процветания»; «Я – олицетворение Высшего процветания и любви»; «Я реализую свое Божественное право на процветание».

Шаг 2 | ПОДКРЕПЛЯЕМ СВОЙ ВЫБОР РАДОСТЬЮ

Вы знаете, я еще не встречала ни одного унылого миллионера. Я не видела ни одного преуспевающего актера, политика или бизнесмена, который бы все время стонал и жаловался и обвинял бы всех вокруг. Если такое и происходит, то успех такого человека – дело преходящее, ему никогда не удастся его закрепить. Хотя нет, приходилось мне встречать людей, имеющих намного больше, чем другие, но при этом говорящих так: «У нас нет денег». В тот момент это было неправдой, но с течением времени их «заказ» был услышан, и теперь денег у них действительно нет!

Зато все преуспевающие люди, которых я знаю, постоянно излучают невероятный оптимизм, уверенность в себе, силу и радость от наслаждения всеми благами жизни.

«Успех в жизни можно определить как непрерывное расширение ощущения счастья и постепенное достижение поставленных перед собой целей», – писал Д. Чопра. Именно так. Наша задача – обрести духовный подход к достижению успеха и раскрыться навстречу всесильному потоку Космической энергии изобилия. Тогда все начинает получаться само собой. Настроив свое сознание на радость, счастье, оптимистический подход, изобилие, вы во всех явлениях жизни начинаете видеть Божественный промысел, направленный на всеобщее благо, вы обретаете уверенность в великолепном конечном результате. Только концентрируйтесь на хорошем! Учитесь видеть радость везде.

Хочу поделиться с вами таким наблюдением. Я очень часто пользуюсь услугами «частников» для передвижения по городу. Разумеется, я беседую с людьми, и оказалось, что чем негативнее настроен водитель, чем с большей ненавистью он осуждает правительство, законы, погоду и т. д., тем старее и грязнее у него машина!

Я думаю, здесь работает прямая зависимость. Человек создает вокруг себя атмосферу, загрязненную вредными выбросами его собственных злобных слов и ругательств, и что же он получает? То же, что и отдал, — грязь, неустроенность, бедность. И наоборот, когда я вижу, что водитель настроен позитивно, смеется, радуется, что он уважает себя, то и машина у него в полном порядке, в салоне чистота и играет приятная музыка.

Уважайте себя и не загрязняйте свою собственную ауру вредоносными отходами! Старайтесь избегать просмотра телевизионных передач, которые несут вред нашему «тонкому телу». Негативные энергетические выбросы с экранов в виде репортажей с мест аварий и т. п. очень плохо сказываются на нашей ауре. Не смотрите жестокие боевики с постоянными перестрелками и убийствами. Лучше купите видеокассету с чудесными видами живой природы, которой так не хватает нам, живущим в больших и малых городах, или послушайте классическую музыку.

Хочу предложить вам еще несколько советов по сознательному привлечению энергии радости, красоты и гармонии в вашу жизнь:

— танцуйте чаще под любимую музыку;

— отдыхайте днем, если вам хочется;

— выражайте людям благодарность;

— находите время для себя. Ходите в спортивные клубы, бассейн, делайте массаж;

— используйте любую возможность для прогулок;

— занимайтесь любовью с удовольствием, а не для исполнения долга;

— слушайте красивую музыку, лучше классическую;

— возитесь с детьми, рисуйте с ними, бегайте, играйте;

— покупайте себе цветы, наслаждайтесь их ароматом и красотой;

— мечтайте перед сном о самом заветном;

— общайтесь с духовными людьми; общайтесь с единомышленниками;

— пойте и находите поводы для смеха;

— посещайте церковную службу;

— занимайтесь йогой или просто зарядкой;

— купите кисточки и краски и попробуйте себя в живописи. Иногда результаты просто потрясают!

— живите с удовольствием!

Все это дает позитивные результаты.

Подпитывайте свою ауру красотой, и красотой наполнится ваша жизнь. В этом психология успеха перекликается с наукой Фэн-Шуй. Если вам нужна роскошь — создайте элементы роскоши в своем окружении, если красоты не хватает в вашей жизни — находите красоту в окружающем мире, и вы сами станете более красивы и гармоничны. А для привлечения успеха нам нужно больше радости! Посмотреть хорошую комедию, сходить на юмористический концерт — очень полезно для вашего энергетического настроя, а значит, для успеха!

Когда человек смеется, радуется, у него автоматически происходит очищение кармы. Веселитесь, смейтесь от всей души, возитесь с детьми и животными, позволяйте себе маленькие радости, делайте это сознательно. Пусть ваша аура насыщается светлыми, чистыми красками, привлекающими все хорошее, в том числе и успех!

В процессе написания этой книги я попросила поделиться своими мыслями о достижении успеха в жизни Почетного Генерального Консула Республики Корея господина Кима Г. Ы. Этот уважаемый человек сказал, что с возрастом понятие успеха в жизни меняется. Для грудного младенца — это присутствие матери. Для подростка — успехи в учебе. Для юноши — разделенная любовь. Для взрослого — возможность делать то, что хорошо для него и его семьи. Но самое главное — чувство уважения к себе и радость.

На мой вопрос, как ему самому удалось достичь высокого положения в обществе, господин Ким ответил, что он старался всегда учиться. Когда он закончил образование, то учился у людей, которые встречались ему в жизни. Ведь каждый человек неповторим, и у каждого можно научиться чему-то новому. При этом сам господин Ким чрезвычайно веселый человек, постоянно шутит, и с ним очень приятно общаться. Да и выглядит он потрясающе молодо.

Успех привлекает успех. Изобилие привлекает еще большее изобилие. Настройтесь на эту волну и почувствуйте вкус к жизни. Радость приносит вполне ощутимые дивиденды, и это не только деньги, помимо всего прочего у вас появятся новые друзья. А это, пожалуй, самое важное достижение. Где люди, радость и смех — там ценнейшая жизненная энергия. В присутствии многих преуспевающих людей создается впечатление, что все вокруг бурлит и кипит. Они буквально заражают нас своим энтузиазмом. После общения с ними воодушевление держится в душе довольно долго. Обратите внимание, что у таких настроенных на успех людей обычно много друзей. Ведь недаром у всех лидеров есть так называемая свита. Конечно, не все одарены от рождения подобной кипучей энергией, но для того и даны нам новые знания, чтобы самим создавать свое блестящее будущее. Внедряйте в свое сознание только положительные настрои, и энергия наполнит вас!

Игоря я знаю уже много лет. Для меня это всегда был пример человека, настроенного только на успех и богатство. Несмотря ни на какие трудности бизнеса в России, он стабильно и упорно идет вверх и вверх. И знаете, в чем его секрет? Он постоянно смеется!

Он хохочет, если угрожают рэкетиры, если обваливается рубль... У него всегда в запасе свежий анекдот, и всем с ним очень весело. Он ухитряется рассмешить даже своего самого главного конкурента так, что можно забыть о непримиримой вражде. Бизнес есть бизнес, но в жизни так много смешного. Мне кажется, я и сейчас слышу его голос: «Повеселее надо, повеселее». Да, он никогда не воспринимает бизнес слишком серьезно, что абсолютно соответствует основным духовным законам успеха. Для него это не самоцель. Я не удивлюсь, если, смеясь, Игорь станет в будущем известным магнатом.

Программа действий по привлечению успеха

1. С сегодняшнего дня я нахожу радость во всем. Я благодарю Господа за каждый новый день. Я радуюсь солнцу и небу. Я излучаю благополучие и успех.

2. Я стараюсь использовать любую возможность для смеха и радости. Я стараюсь рассмешить своих близких. Я нахожу красоту в самых обыденных вещах.

3. Я сознательно очищаю свою ауру от наслоений негативной информации, слушаю красивую музыку, наслаждаюсь искусством.

Шаг 3 | ПРИВЛЕКАЕМ МАГИЧЕСКУЮ СИЛУ СЛОВА

Мы узнали уже очень многое. Мы правильно формулируем желания, знаем, как с ними обращаться, мы даже знаем величайшую тайну творения своей новой жизни, а именно — тайну сознательного выбора, мы находим радость и красоту во всех проявлениях жизни. Я уже почти спокойна за вас, так как применение даже всего того, что вы узнали до сих пор, дает замечательные результаты. Но я люблю совершенство во всем, и поэтому сейчас мы поговорим о великой силе наших слов.

В процессе творения счастливой, гармоничной и изобильной жизни нам необходимо воспользоваться тремя магическими инструментами — мыслью, словом и делом.

Вот о слове, а точнее, языке успеха мы сейчас и поговорим. Мне кажется, что Луиза Хей выражает эту мысль совершенно гениально: «Если бы вы могли понять силу ваших слов, вы бы осторожнее их выбирали. Вы постоянно говорили бы положительными аффирмациями. Вселенная всегда отвечает „да“. Как только вы начинаете меняться, как только вы готовы принести хорошее в вашу жизнь, Вселенная ответит добром».

Я уже настолько натренировала свой слух, что мгновенно могу распознать человека, исповедующего психологию бедности, негативности, уныния. Иногда даже трудно сдержаться, чтобы не сказать незнакомцу в транспорте, что он, ругаясь, опускает свой жизненный уровень все ниже и ниже. Вспоминается Порфирий Иванов, который говорил любительницам посплетничать и позлословить: «Не осуждайте, болеть будете!» Я думаю, каждый из вас может вспомнить случай, когда произнесенные слова исполнялись почти мгновенно.

Желательно анализировать даже тексты песен, которые мы часто поем бессознательно, автоматически (я, впрочем, уже давно пою только «сознательные» песни). Например: «Ты гори, гори, моя лучина, догорю с тобой и я» (зачем догорать-то вместе?); «Весну любви один раз ждут» (далеко не один раз), ну и так далее.

В советское время, видимо, весьма грамотные люди помогали создавать атмосферу энтузиазма и вдохновения с помощью оптимистических текстов песен и маршей. Ну, что же, хорошим опытом не грех и воспользоваться. Например: «Мы рождены, чтоб сказку сделать былью» (именно так!); «Нам нет преград на суше и на море» (совершенно верно); «В своих мечтаниях всегда мы правы» (безусловно).

И уже современные песенки: «Я подарю тебе любовь, я научу тебя смеяться, ты позабудешь про печаль и боль и будешь в облаках купаться» (просто то, что доктор прописал!).

Удивительно, но пока я печатала эти строчки, по радио зазвучала старая песенка с такими словами: «Воскресенье, радостный день. Пусть исчезнет ссор наших тень. Эй, эй, эй, солнце смеется, я с тобой рядом пойду, пусть всегда он остается, этот день, — самым лучшим в году». Несомненный сигнал поддержки!

Если вы наделены творческим даром, вы можете сами создавать новые тексты для стимулирующих песен. Выбор — широчайший. Могу поделиться с вами своим «ноу-хау». На музыку песенки бременских музыкантов я положила свои собственные «энергетические» слова. Смотрите, что получилось:

С каждым днем я больше молодею;
С каждым днем я больше богатею;
С каждым днем я становлюсь мудрее;
И любовь спешит ко мне быстрее;
Да, да, да, да, да!

Можете использовать для своего блага. Пожалуйста!

Самое главное, что вы начинаете осознанно относиться не только к своим мыслям, но и к словам. Слова обладают огромной созидательной силой. Это давно уже подметила народная мудрость. Вспомним народные поговорки: «Слово лечит, слово ранит» (русская); «Ничто так не ободряет человека, как доброе слово» (индийская); «За сто лет стирается надпись на могильном камне, но сказанные слова тысячу лет остаются теми же» (вьетнамская).

Давайте же использовать эту могучую силу в наших созидательных целях! Когда человек использует силу слов сознательно, происходят следующие интересные вещи. Во-первых, он выражает свое желание, а Вселенная, как вы помните, на все отвечает «да».

Во-вторых, повторение позитивной установки создает совершенно конкретную мыслеформу, или астроидею, которая существует в мире тонком и при этом ждет удобного случая для воплощения в мире реальном, физическом. Понимаете теперь, почему нельзя говорить о себе и о других плохо! И, наконец, при многократном повторении своего идеального выбора вслух вы создаете особое свечение своей ауры, которое и привлекает к вам людей, благоприятные обстоятельства, деньги и успех.

Еще одна цитата из «Беседы с Богом» Нила Доналда Уэлша: «Мысль или слово, будучи выраженными снова и снова, как раз и становятся такими: выраженными. Они становятся осуществленными вовне. Они становятся твоей физической реальностью», и еще: «Большинство людей не знают, как это сделать. Ты теперь знаешь. Чтобы изменить свою реальность, просто перестань думать о ней по-прежнему».

Упражнение «Настрой на удачу»

В качестве упражнения рекомендую вам начинать и заканчивать свой день с аффирмаций, нацеленных на изобилие успеха в вашей жизни. Пусть ваши мысли будут направлены только на силу, богатство, успех и любовь!

Очень полезно, встав утром с постели, скандировать эти замечательные слова:

Сила, богатство, удача, успех.
Сила, богатство, удача, успех.
Сила, богатство, удача, успех.

Или:

Сила, здоровье, успех и любовь.
Сила, здоровье, успех и любовь.
Сила, здоровье, успех и любовь.

Вы можете их петь, кричать и при этом размахивать руками, подпрыгивать и т. д. Не обращайте внимания на косые взгляды родственников и их предложения вызвать «скорую помощь» — грань между гениальностью и безумством, как известно, весьма тонкая...

А если серьезно, то лучше это делать в одиночестве или в моменты исключительно радостного состояния души, например при спуске с горы на лыжах и т. д. Тогда высокая энергия вашей радости подхватит нужную установку и «доставит» ее по назначению. Вас услышат!

Неудачники, как правило, очень хорошо знают точную причину всех своих неудач. Это может быть неправильное воспитание, плохое правительство, негодная страна, не та семья и недоброжелатели вокруг. Но обвинения не приносят ни облегчения, ни желаемого успеха. Раздражительные люди редко добиваются богатства, а уж если и добьются, то становятся тиранами, так как деньги имеют особенность усиливать те качества, которые у человека уже есть.

А знаете, чем отличаются преуспевающие люди? Они никогда не обращают внимания на препятствия. Они не позволяют себе растрачивать энергию по мелочам и отвлекаться на будничные неурядицы. У них в голове находится цельная картина. Победители всегда мыслят категориями успеха, устремлены в будущее и не позволяют себе расстраиваться из-за того, что в настоящем не все так идеально, как хотелось бы.

Иногда все складывается не так, как мне хотелось бы. Знаете, что я делаю? Я задаю себе вопрос: «Наташенька, не забыла ли ты, кто ты есть на самом деле?» — и сама отвечаю: «Да, конечно, я прекрасное Божественное создание, бессмертное, свободное и радостное. Я есмь олицетворение Вселенской любви и успеха. И все двери раскрываются перед этой силой». Верите ли, сразу становится намного легче, потому что я вижу целостную картину своего блистательного успеха в жизни. Даже увидев страшный сон и проснувшись в страхе, я спрашиваю себя: «Стоп, стоп, ты помнишь, кто ты есть?» — и сразу нахожу ответ, выработанный опытом аффирмаций: «Я олицетворение высшего процветания и счастья».

Предлагаю вам взять ответственность на себя и перестать обвинять других в своих неудачах и проблемах. Когда я говорю «взять ответственность на себя», я имею в виду: исполнять **свои** желания, делать **свой** выбор, заниматься **своим** любимым делом, ибо, осознавая свою ценность, мы выражаем любовь к Богу Творцу. Обвинения, жалость и неуважение к себе только отдаляют нас от Божественного начала, которое и создает для нас все блага. У вас есть все инструменты для достижения успеха – желание, любовь к себе и Новое мышление. Попробуйте, не пожалеете!

Меня чрезвычайно радуют встречи с моими слушателями и читателями, когда они рассказывают о положительных переменах, произошедших в их жизни после прочтения моих книг. Одна молодая женщина так преобразилась внешне, что ее постоянно спрашивают, не сделала ли она суперсовременную омолаживающую процедуру. А все дело в том, что эта милая женщина поверила в свои силы, выбрала для себя счастье и богатство.

Когда мы встретились в первый раз, она призналась мне, что испытывает сильный страх перед вождением машины и не позволяет себе покупать красивые вещи, думая, что таким образом обделяет мужа и сына. Спустя несколько месяцев применения позитивных аффирмаций она избавилась от страха перед вождением, лихо управляет машиной и наслаждается красотой ве-

щей, которые покупает теперь уверенно, ибо знает, что достойна всего самого лучшего. А как она стала при этом выглядеть! Просто поразительный результат настроя на благополучие и успех.

Программа действий по привлечению успеха

1. С сегодняшнего дня я внимательно контролирую все, что говорю. Я знаю, что важно распространять только положительно заряженные вибрации, поэтому стараюсь сегодня никого не осуждать, не рассказывать грустные истории, не передавать плохих новостей.

2. Я пою веселые песни, я при любом удобном случае читаю аффирмации, зная, что они обязательно воплотятся в жизнь.

3. Я сознательно говорю о себе самое высокое и прекрасное, что только могу себе представить.

4. Сегодня я утверждаю свое право на силу, процветание, изобилие во всех его проявлениях и любовь.

Глава 4
ЧТО ДЕЛАТЬ, ЕСЛИ НЕ ПОЛУЧАЕТСЯ?

Думай о том, чтобы использовать все препятствия, которые встречаются на твоем пути, как ступеньки для строительства нужной тебе жизни.

М. Синетар

Если Бог медлит, это не значит, что Он отказывает.

Б. М. Конни

Там, где побеждается страх, начинается мудрость.

Б. Расселл

Да, я уже почти слышу голоса скептически настроенных читателей: «Все это хорошо на бумаге, а жизнь – совсем другое дело. Жизнь заставляет нас тяжело трудиться для пропитания семьи, в жизни мы постоянно испытываем разочарования и усталость. Болеют дети, не достигаются мечты. Откуда же браться такому безоблачному оптимизму, когда хочется все бросить и убежать подальше...»

И на самом деле убегают. Во временное забвение, которое дарят алкоголь, никотин и прочие наркотические средства. Только помогает ли подобное забвение? Думаю, не очень. Проблемы ведь остаются, подчас усиливаясь. Так где же выход?

Дорогие мои, поверьте, такие моменты отчаянья испытывают все или почти все стремящиеся к успеху, однако победители отличаются тем, что они все же поднимаются из вязкого болота сомнений и начинают все сначала. Известен исторический пример президента США А. Линкольна, который «проваливался» на президентских выборах восемь раз подряд! Представляете, какую веру в себя надо иметь, чтобы выставить свою кандидатуру в девятый раз и победить!

Легендарные «Биттлз» получали бесчисленные отказы от музыкальных студий в начале своей карь-

еры. Кто-то подсчитал, что им около сорока раз отказывали в записи, и только после долгих повторных попыток какая-то неизвестная студия согласилась записать их песни. А если бы «Биттлз» разочаровались в себе и прекратили свои попытки, мир был бы лишен одной из самых талантливых групп XX века.

Итак, если вам кажется, что вы устали и не видите никакой перспективы, сделайте глубокий вдох и выдох, а затем выберите для себя новую ситуацию. Именно так, выберите для себя лучшую, позитивную реальность. Утвердите для себя что-то новое. В мире бесконечное количество возможностей. Выберите лучшие для себя!

Шаг 1 | ИЩЕМ В НЕУДАЧАХ НОВЫЕ ВОЗМОЖНОСТИ ДЛЯ РОСТА

Мне очень импонирует высказывание известного психолога К. Юнга, который предлагает при каждой неприятности позвать друзей и откупорить бутылочку вина, говоря, что из этой неприятности обязательно произрастет большая удача! Что нам мешает сделать то же самое? Предчувствуя удачу, мы тем самым предвосхищаем ее.

Совсем недавно со мной произошел такой случай. Долго ожидаемая поездка на семинар в другой город неожиданно сорвалась. Человек, который помогал мне подготовить ее, куда-то исчез в самый ответственный момент.

Я встала у окна, сделала глубокий выдох и принялась за аффирмации. Естественно, я говорила, что это обернется еще большей удачей для меня. В тот самый момент, когда я закончила проговаривать аффирмации торжествующим: «Да, да, да», — с дерева под окном сорвались три вороны и с оглушительным карканьем взмыли в воздух. Я прекрасно поняла сигнал: «Это именно так!»

Буквально через пару дней я получила приглашение на всемирную конференцию по Фэн-Шуй в Германии, куда съезжаются все лучшие мастера мира. Если бы первая поездка состоялась, я бы не смогла принять участие в таком престижном форуме.

Никогда не спешите расстраиваться, если что-то не получается. Верьте, что у Вселенной есть на ваш счет грандиозные планы!

Проанализировав события своей жизни хотя бы за пять–семь лет, вы, несомненно, увидите, что все так называемые проблемы и сложности были не чем иным, как завуалированными ростками будущих счастливых событий. «Не было бы счастья, да несчастье помогло» – эта поговорка великолепно иллюстрирует данную мысль.

Поэтому в тот момент, когда вам кажется, что весь мир против вас, постарайтесь найти хотя бы одну светлую сторону в настоящей ситуации. Чем больше вы будете ориентированы на радость, тем лучше.

Позвольте предложить вашему вниманию цитату из уже упоминавшегося мной автора Нила Доналда Уэлша: «Если ты думаешь, что ты в унынии, в плачевном состоянии и ничего хорошего из этого произойти не может, – подумай заново. Если ты думаешь, что мир – плохое место, наполненное негативными событиями, – подумай заново. Если ты думаешь, что твой мир распадается на части и похоже на то, что тебе не удастся снова собрать их вместе, – подумай заново. Ты можешь натренировать себя делать это. Посмотри, насколько хорошо ты натренировал себя не делать этого!»

Хорошо иллюстрирует эту идею пример Марины, у которой, по меркам обычного мира, в какой-то момент жизни ничего не оказалось. У нее не было постоянного жилья, работы, не было детей. Все окружающие почему-то считали своим долгом «напомнить» ей об этом, полагая, видимо, что она по своей наивности этого не замечает. Близкие постоянно заводили разговор о радости материнства и собственного гнезда и буквально пытались выжать из нее слезы или признание своего бедственного положения.

А она совершенно искренне не понимала, почему из нее хотят сделать несчастного человека, когда она здорова, весела и довольна жизнью. Марина, радостно воспринимая мир, смогла за три года достичь того, чего ее ровесники, живущие как «нормальные» люди, не достигли и за десять—пятнадцать лет. Она нашла интересное творческое дело, которому посвятила всю себя, — стала художником, картины ее хорошо продаются, у нее появилось много новых друзей, и она стала еще более жизнерадостной. Хорошее настроение заразительно, поэтому она достигла блестящего успеха, занимаясь тем, что нравится ей самой, а не общественному мнению.

Разумеется, успех принес ей все, что надо, в том числе и деньги на квартиру и возможность обзавестись семьей.

Даже если весь мир говорит тебе, что у тебя что-то не так, — не поддавайся искушению поплакаться и утверждай только то хорошее, что у тебя есть.

Программа действий по привлечению успеха

1. С сегодняшнего дня я буду искать радость и наслаждение во всем, что у меня есть. Я знаю, что сам(а) создал(а) свой опыт, поэтому я не отвергаю его, ибо это означало бы, что я отвергаю себя.

2. Если мне что-то не нравится в моей сегодняшней жизни, я благословляю и изменяю ее, после чего путем сознательного выбора создаю свою новую реальность. Выбор есть всегда.

3. В любом неблагоприятном на первый взгляд событии я буду искать зерно будущих счастливых событий.

Шаг 2 | ЧЕМУ МЫ МОЖЕМ НАУЧИТЬСЯ?

Случаются в жизни моменты растерянности, когда мы не знаем, следовать ли дальше, оставить ли свои мечты или просто переждать, если обстоятельства складываются не в нашу пользу. Такое состояние известно всем стремящимся к своей цели. Бывает, что и обычный оптимизм куда-то пропадает. Как писал мой любимый английский писатель-зоолог Джералд Даррелл: «Прошло значительное количество времени, прежде чем я смог увидеть смешную сторону этого события».

Когда утыкаешься, образно говоря, лбом в стенку, охватывает отчаянье, сомнение в своих силах и появляется чувство вины, тогда возникает вопрос примерно такого содержания: «А может быть, все это зря? Наверное, я что-то делаю не так, если мне грустно и тяжело. Продолжать ли мне или бросить все и жить как все нормальные люди?»

В любом случае человек говорит в душе: «Господи, я сделал все, что мог, чтобы приблизиться к своей мечте, и ничего не получается. Что же мне делать?» Прежде всего, не отчаиваться. Хочется поплакать – не сдерживайтесь, дайте себе разрядку. Затем сделайте глубокий вдох, даже несколько, и... продолжайте утверждать, что все это к лучшему.

Нам не дано знать, для чего мы проходим через определенные трудности в настоящем, но они обязательно, подчеркиваю – обязательно приводят нас к положительным переменам в будущем. Более того, оглянувшись на пройденный путь, вы увидите, что в любом негативном событии были спрятаны ростки новых благоприятных возможностей.

Мне вспоминается чудесный фильм «Любовь и голуби», где главная героиня, вздыхая, говорит своему неверному муженьку: «Если бы не эти страдания, то я бы жила, как жила, и не понимала бы, какая семья у нас хорошая, какие дети у нас хорошие. Все как-то в тумане было за повседневными-то заботами. Зато сейчас я все вижу и ценю». Помните?

Каждый переживаемый вами момент является комплексом выборов, сделанных вами в прошлом. Небольшая цитата из Доналда Уэлша: «Твоя жизнь всегда есть результат твоих мыслей о ней, в том числе и твоей явно творящей мысли о том, что ты редко получаешь то, что выбираешь... Если ты считаешь, что такие вещи ничего не значат, то ты неправильно понимаешь свою силу». Это значит, что в каждый момент времени мы с вами делаем определенный выбор в отношении событий, реакций, желаний и эмоций. Таким образом, мы творим свою жизнь каждую минуту, каждый день. Если вы сегодня применяете вышеизложенные методики в жизни, то спешу вас обрадовать – ваше будущее уже намного лучше настоящего.

В замечательном фантастическом рассказе Р. Брэдбери описывался участник сафари в многомиллионолетнем прошлом. Там была тропа, с которой ни в коем случае нельзя было сворачивать, иначе – непредсказуемые последствия и огромный штраф. Естественно, герой рассказа случайно сошел с тропы и раздавил бабочку, всего лишь бабочку в доисторическом периоде. Но эту бабочку не съела птичка, птичку не съела змея, змею не поймал хищник и т. д. и т. д. В результате, вернувшись в свое время, герой не узнал свой привычный мир. Там была другая жена, другая страна, а по небу плыли совершенно неестественные облака.

Событие, произошедшее в прошлом, повлияло на окружающий мир героя в настоящем, так как каждый момент сегодняшней жизни есть результат нашего выбора в прошлом.

То есть я опять-таки призываю вас к осознанному — осознанному, друзья мои, — выбору вашего настоящего момента. В каждый критический момент жизни проявляется именно то, что вы думали и говорили о себе в прошлом. Выбор, карма... Поэтому грустить не надо, у вас есть мощное оружие — огромная созидающая сила настоящего момента.

В случае же непредвиденных сложностей надо постараться проанализировать, какие ваши прошлые мысли проявились в виде препятствий. Можно просто остановиться и спросить себя: «Что я сделал или подумал, чтобы привести в движение данные процессы? Чему это может научить меня сейчас?»

Мы все находимся здесь для прохождения опыта жизни и для того, чтобы научиться любви, состраданию, прощению, терпению, настойчивости, смелости, вере и еще целому набору качеств из нашей личной кармы. Каждый раз, когда мы утыкаемся лбом в стенку, — это сигнал, что нам надо что-то изменить в своем сознании и поведении. Когда мы это понимаем, начинают открываться врата. Часто жизненные сложности приводят нас в итоге к таким прекрасным результатам, о которых мы и не мечтали. Ибо каждое так называемое препятствие на самом деле — суть великий учитель.

Ну, а если урок не усвоен, то у нас в запасе есть еще несколько десятков жизней...

Программа действий по привлечению успеха

1. С сегодняшнего дня я буду рассматривать свои проблемы как результат собственного неправильного выбора в прошлом. Каждый раз, сталкиваясь с трудностями, я буду говорить: «Я благословляю и отпускаю те мысли, которые создали такую ситуацию. Сейчас я выбираю лучший выход для себя. Я ценю, люблю и поддерживаю себя. Все происходит к лучшему в моей жизни».

2. Я прекрасно осознаю свою силу и очень внимательно отношусь к любому выбору, который делаю в каждый момент времени. Я знаю, что мое подсознание реализует мои самые заветные желания, поэтому настраиваюсь только на самый лучший исход для меня.

3. Когда я переживаю трудные моменты, я не обвиняю никого, в том числе и себя, а спрашиваю: «Чему мне надо научиться?» и «Каков наилучший выход из этой ситуации?» При этом я повторяю позитивные утверждения – аффирмации, например:

«Все, что я испытываю, постоянно улучшается»;

«Я полностью доверяю Высшей силе, создавшей меня, и верю, что я на правильном пути»;

«С каждым днем, с каждым днем моя жизнь становится все лучше и лучше»;

«Добро, правильный выбор и благополучие постоянно приходят ко мне. Так что я могу расслабиться и наслаждаться новой жизнью».

Все наши желания исполняются. Всегда. Вопрос только в том, как быстро и точно это произойдет. Мы же нетерпеливы. Мы хотим всего сразу и побольше. И если не получаем желаемого мгновенно, начинаем терять интерес, надежду и, что самое страшное, – веру.

Те знания, которыми я поделилась с вами, дают возможность разговаривать со Вселенной на ее языке, использовать определенную технику безопасности и постоянно улучшать свою жизнь и жизнь окружающих в лучшую сторону.

Чтобы вы более четко представляли себе принцип работы с тонкими энергиями, приведу такой пример. Представьте, что вы решили испечь пирог. Вы замешиваете тесто, готовите начинку, разогреваете плиту. И через пару часов румяное чудо кулинарии готово к употреблению. Казалось бы, все просто? Да, в том случае, если вы знаете, какие ингредиенты и в каких пропорциях необходимы для приготовления вкусного пирога, и имеете необходимые навыки. Не так ли?

Когда вы приступаете к работе с деликатными энергиями, вам также надо знать все тонкости и хитрости этого дела. Только тогда успех гарантирован!

И еще. Когда в дело идет активизация Вселенских сил, эффект не обязательно должен быть виден сразу. Самое главное – не отчаивайтесь, не теряйте веры в себя. Вера творит чудеса вместе с вами. Вселенная имеет обыкновение исполнять самые сокровенные желания. Это значит, что если вы хотите добиться удачи в жизни, но в глубине души в нее не верите, то в реальность воплотится именно ваше неверие. Недаром говорил Иисус: «Имейте веру с горчичное зерно» и «По вере вашей дано будет вам».

Для укрепления собственной веры почаще проговаривайте такие аффирмации:

«У меня с каждым днем укрепляется вера в безусловный успех всех моих начинаний!»;

«Я верую в свои силы, и удача ждет меня. Я открыт(а) для счастья и удачи».

Многие люди, работая с этой методикой, достигли реальных успехов. Присоединяйтесь к тем, кто уже испытал радость победы над обстоятельствами! Присоединяйтесь к головокружительному ощущению полета и свободы! Радуйтесь ощущению себя в новом свете добра, любви, радости и гармоничных взаимоотношений с людьми! Я искренне желаю вам вкусить такую радость, полноту и наслаждение жизнью, о которой вы всегда мечтали!

Да будет так.

Часть 2
Выбираем свой имидж правильно – идем в направлении успеха

Мысль не отделяй от дела. Прочитал – хорошо, но самое главное – делай!

Порфирий Иванов

Глава 1
ПРОГРАММИРУЕМ СЕБЯ НА КРАСОТУ И ЗДОРОВЬЕ ДЛЯ ДОСТИЖЕНИЯ УСПЕХА И ПРИЗНАНИЯ

> Все мои привычки способствуют улучшению моей жизни.
>
> *Луиза Хей*

Во второй части нашего повествования, посвященного увлекательному путешествию в мир радости и исполнившихся надежд, мы поговорим с вами о такой важной составляющей успеха, как внешний вид, здоровье и умение общаться с людьми.

Внутренняя красота всегда проявляется и внешне. Наша задача сейчас – помочь ей раскрыться и засиять. Давайте отполируем, доведем до совершенства наш драгоценный храм, наше тело, где и помещаются бессмертная душа и образованный, дисциплинированный разум.

Вам когда-нибудь приходила в голову мысль, что наше тело, собственно говоря, нам не принадлежит? То есть оно, конечно, наше, но мы-то ведь его получили как бы взаймы и пользуемся им на протяжении нашей физической жизни как инструментом для достижения своих целей.

Стоит только поговорить с любым студентом-медиком, изучающим человеческую анатомию и физиологию, и вам скажут, что сложность, упорядоченность и логика устройства человеческого тела превосходят все мыслимые представления о совершенстве.

Давайте посмотрим на наше тело свежим взглядом, со стороны. Мы увидим, что организм есть не что иное, как сгусток сконцентрированной космической энергии. Именно такой взгляд и поможет нам в нашем благородном деле усовершенствования того, что мы имеем. Доктор Дипак Чопра в книге «Молодей и живи дольше» пишет: «Несмотря на то, что тело кажется материальным, это не так. Если посмотреть глубже, ваше тело является энергетическим полем, находящимся в постоянной трансформации и обладающим разумом». А раз так, то все процессы, происходящие в организме, можно контролировать, изменять, улучшать и совершенствовать при помощи нашего мощного разума и воли.

Собственно, сама эта тема настолько обширна, что только ей можно было бы посвятить отдельную книгу. Поэтому я не буду углубляться в различные оздоровительные теории. При желании вы сможете их найти и изучить самостоятельно. Я же постараюсь представить вам краткий, сжатый и эффективный курс ежедневных действий, направленных на улучшение вашего внешнего вида, настроения и взаимоотношений с людьми. Итак, начинаем с самого начала, то есть с утра.

Шаг 1 | «ЗДРАВСТВУЙ, ЛЮБОВЬ МОЯ»

Путь к красоте и здоровью начинается с любви к себе, а еще точнее – с выражения любви к своему единственному и неповторимому телу. Все живое реагирует на искреннюю любовь. Маленький ребенок всегда тянется к добрым людям. Даже самая маленькая птичка или рыбка знают, кто их любит, а кто нет.

Да что там птичка, даже комнатные растения чахнут без любви своих хозяев.

Так и наше тело хочет, жаждет, просит любви для того, чтобы быть здоровым и красивым. Ваше тело создавалось высшей любовью Творца и земной, человеческой любовью ваших родителей. Именно поэтому все его клеточки мгновенно откликаются на посылы любви, обращенные к ним.

Если в вашей жизни в данный момент нет страстного поклонника, поющего серенады в вашу честь, или томные красавицы обходят вас своим вниманием, не печальтесь, а начинайте любить себя сами, здесь и сейчас. Это иногда даже полезнее для здоровья, чем обилие поклонников. Ваше тело откликнется на любовь и принесет вам прекрасные плоды в виде здоровья, энергии, улучшения внешнего вида. А за этим последует и успех. Попробуйте, не пожалеете.

Упражнение «Утро страны»

Каждое утро после прочтения аффирмаций из первой части нашей книги посвятите несколько минут тому, чтобы поприветствовать себя. Начните новый день с приятных поглаживаний, обратитесь ласково к своим рукам, ногам, они ведь столько работают для вас. Они, безусловно, заслуживают самого ласкового и нежного отношения к себе. А голова? Столько полезных и разумных мыслей рождается в ней. Давайте же погладим лоб, щеки, шею. Таким образом мы улучшим кровообращение, а это скажется на работе памяти.

Увидев утром в зеркале свое отражение, скажите себе: «Привет, прелесть моя. Я очень рад(а) тебя видеть». Это принесет вам несомненную пользу в течение дня.

Один известный аристократ приказал своему слуге будить себя такой фразой: «Вставайте, граф, вас ждут великие дела». А чем мы хуже того графа? У вас

впереди действительно великие дела, так что надо подготовиться на всех уровнях. Пусть начало каждого дня станет для вас началом новой жизни, устремленной к великим целям. Опыт других существует, чтобы на нем учиться. Успех других вполне можно скопировать, и он будет работать для вас, так как законы Вселенной действуют одинаково для всех.

Здесь же хочу поделиться с вами упражнением, о котором рассказал мне мой учитель Яп Чен Хай.

Упражнение «Дыхание Земли»

Каждый раз, когда вы находитесь на природе, на берегу моря, озера, рядом с величественными горами или в лесу среди деревьев, не упускайте замечательную возможность укрепить свою внутреннюю силу и здоровье.

Поднимите руки на уровень головы, ладонями наружу, прикройте глаза и, настроясь на объект природы, сделайте несколько круговых движений руками в одну сторону, затем в другую. При этом почувствуйте, как в центре ваших ладоней пульсирует мягкое тепло. Таким образом вы соединяетесь с великой энергией Земли. Вы можете находиться в таком состоянии столько времени, сколько захотите.

Потом поднесите руки к лицу. Они еще хранят в себе отпечаток мощной энергии Земли, вы соединились с ней. Проведите по лицу руками, помассируйте лоб, виски, глаза, шею, голову. В этот момент великая сила Земли наполняет вас и заряжает своей мощью. Мы все едины с нашей прекрасной планетой. Рассматривайте это упражнение как объятие с вашей матерью, которое всегда несет добрую энергию, здоровье и любовь.

Делайте это упражнение почаще. Сила его велика.

Программа действий по привлечению успеха

1. Каждое утро после пробуждения я не вскакиваю сразу с постели, так как это вредно для моего здоровья, а посвящаю несколько минут себе. Я проговариваю аффирмации и глажу свои руки, разминаю ноги, делаю массаж шеи и головы. Этот шаг помогает мне энергично начать новый день.

2. Увидев утром в зеркале свое отражение, я радостно, с любовью приветствую себя разными веселыми словами: «О, какие люди», «Привет, прелесть моя» и т. д. После такого приветствия глаза мои загораются радостью, я улыбаюсь, а это самое главное.

3. Я настраиваюсь на великие дела. Я культивирую в себе полную уверенность в победе. Я знаю, что способен(на) на многое и сегодня мне представится пре-

красная возможность показать мои восхитительные способности.

4. Я при любой возможности соединяюсь с природой и черпаю у нее силы для великих свершений.

Шаг 2 «НЕ СТРАШНЫ ДУРНЫЕ ВЕСТИ, НАЧИНАЕМ БЕГ НА МЕСТЕ»

Да, да, знаю: абсолютно все с детства слышали о пользе физкультуры. Похоже, что надоело слушать об этом примерно с того же времени.

Конечно, надо бы заниматься, раньше вроде бы и желание было, а сейчас... Хорошая погода для пробежки, но то одно, то другое, дети, муж, работа, дела... И бежим на работу, в очередной раз махнув на себя рукой. Но все чаще прихватывает сердце, позвоночник похрустывает, а про талию и вспоминать не хочется.

Тогда, может быть, купим абонемент в фитнесцентр, потрясемся иногда на тренажерах и – обратно, на диван перед телевизором. В чем же дело? Силы воли не хватает или, как сейчас модно говорить, мотивации? Да, с мотивацией плохо, зато с весом хорошо. Его все больше и больше, так же как и тела.

Наверное, все согласятся, что внезапно вспыхнувшая романтическая страсть заставляет нас хвататься за гантели или сидеть до голодных обмороков на различных диетах. Какая здесь мотивация? Конечно же, любовь. Однако страсть, как правило, недолговечна, поэтому и результаты наших рьяных занятий не держатся долго.

Одна моя знакомая очень влюбчива. Она всегда пребывает в состоянии влюбленности, плавно переходя от одного романа к другому. Если я встречаю ее в спортивном зале, это верный признак того, что у нее кто-

то появился. Если ее нет — значит, отдыхает и от любви, и от аэробики. Увидев однажды, как она до изнеможения занимается на тренажерах, я спросила, не хватит ли ей себя истязать. И знаете, что она ответила? «Я готова здесь сутками таскать железки, лишь бы Игорь меня любил». Вот так.

Что же делать? Где искать силы для постоянных занятий? Я полагаю, что не слишком вас удивлю, если скажу, что источник силы вы найдете в любви к себе и в доверии к Вселенной. И тогда мощный поток энергии буквально принесет вас к успеху. Любовь к себе всегда подскажет вам и правильный режим.

Предлагаю вам простой выход из сложных взаимоотношений с физкультурой: занимайтесь понемногу, но регулярно, и не ешьте после 8 часов вечера. Вот и все.

Человечество придумало великое множество оздоровительных систем. У вас богатейший выбор. Прислушайтесь к себе. Попробуйте ту или иную систему и сделайте свой личный выбор. Главное, чтобы занятия были регулярными. Я заметила, что ежедневные занятия по пятнадцать–двадцать минут в день дают лучший результат, чем по часу, но два раза в неделю. Надоело делать что-то одно, займитесь другим. Китайцы говорят, что постоянны только перемены, так что пусть ваши занятия изменяются в зависимости от настроения, времени года и т. д. Будет ли это йога, дыхательная гимнастика или аэробика – по большому счету, неважно. И постоянно прислушивайтесь к себе. Ваше тело – ваш лучший друг и советчик. Относитесь к нему с любовью, и оно ответит вам тем же!

Программа действий по привлечению успеха

1. Каждый день я буду посвящать всего пятнадцать–двадцать минут своему прекрасному телу, что-

бы оно служило мне как можно дольше, ведь у нас впереди вкушение плодов достигнутого успеха!

2. Если я пропускаю несколько дней, то не стараюсь «наверстывать» упущенное перегрузками, а просто меньше употребляю калорийной пищи.

3. После 8 часов вечера я стараюсь есть только овощи и пить зеленый чай или кефир и при этом радуюсь, что люблю себя.

Шаг 3 | КРАСОТА — ЭТО СТРАШНАЯ СИЛА (Посвящается женщинам)

Таковы законы природы, что мужчина хорошо выглядит, если у него носки одинаковые, а уж если он чисто выбрит, то вообще принц. Мужчины прекрасно себя чувствуют такими, какие они есть.

Наверное, когда-нибудь и женщины достигнут подобного нирванического состояния, что, кстати, прекрасно сочетается с Новым сознанием. Но пока... Пока мы оперируем в разговорах такими терминами, как «ботокс», «рестилайн», «мезотерапия», «лифтосома» и прочие «гидродермии», понять которые могут только посвященные в тайное общество красоты, то есть женщины и их косметологи. И это тоже хорошо, потому что в самой природе женщины заложено стремление ко всему блестящему, вкусно пахнущему и шелковистому.

Как говорит еще один известный Мастер Фэн-Шуй Ларри Сэнг (чувствуете, как мягко я подвожу вас все ближе к Фэн-Шуй): «Не противоречь своей природе. Делай то, что тебе нравится, и тогда обретешь счастье». Замечательно сказано, не правда ли? Теперь у нас есть оправдание, мы знаем, что, покупая двадцать восьмую баночку крема, мы следуем своей натуре. В конце концов, мы следуем нашей дхарме, то есть делаем то, что нам нравится, а это прекрасно.

Если мы начинаем легче относиться к жизни, то и жизнь легче относится к нам. Играйте с жизнью, резвитесь, радуйтесь и смейтесь, ведь мы же не столько бухгалтеры, риэлтеры и экономисты, сколько богини, играющие в них. Излишняя серьезность старит, друзья мои. Помните, у Жванецкого: «Вы пробовали когда-нибудь зашвырнуть комара? Нет, он летит, но только сам по себе, и плюет на вас. Поэтому надо быть легким и независимым».

Когда меня пригласили на Петербургское телевидение, я отнеслась к этому не слишком серьезно. На меня все время нападал какой-то смех. А когда ведущий передачи, А. А. Левшинов, перед эфиром сказал, что голос вроде бы не звучит, я сразу же вспомнила своего любимого Ю. Гальцева и произнесла фразу из его репертуара: «А ну-ка, Степаныч, налей коньячку». Поначалу это вызвало замешательство у технического персонала, но потом все расслабились, настроение у меня было прекрасное, и передача прошла успешно. Повеселее надо, повеселее.

В книге «Гармония жизни» Карен Кингстон есть замечательная фраза: «Когда что-то становится священным? Когда мы говорим: „Это священно“». Мне удалось творчески переработать эту ценную мысль, и я предлагаю поиграть в обряд посвящения в Богини Красоты с использованием священного магического напитка, который называется: «Эликсир красоты, здоровья и молодости».

Эликсир красоты, здоровья и молодости

Утром примерно за полчаса до еды приготовьте сей чудодейственный напиток. Возьмите ломтик лимона, чайную ложку меда, несколько капель настойки элеутерококка и залейте все это холодной кипяченой водой.

Возьмите стакан в руки, почувствуйте важность момента и скажите себе: «Я пью напиток красоты, молодости, здоровья и богатства». После чего маленькими глоточками выпейте эликсир, представляя, как вода очищает ваш организм от всех блокировок, болезней, усталости и наполняет его светом и здоровьем. Если это войдет у вас в привычку, вы вскоре почувствуете благотворный результат. Врачи сказали бы, что вода с лимоном и медом натощак великолепно стимулирует работу кишечника, но мы-то с вами знаем свою силу, попробуйте нас разубедить!

Да, красота очень помогает в достижении наших прекрасных целей. Причем когда мы соединяем с внешней привлекательностью наше мощное позитивное внутреннее состояние, эффект усиливается многократно.

Пользуясь своим очарованием, мы можем достичь целей иногда быстрее, чем даже влиятельные мужчины. Я имею в виду не чопорную, надменную красоту, а теплую, искреннюю улыбку и сияние доброжелательной ауры вокруг вас. Недавно одна знакомая сказала мне: «Наташа, ну вам ведь просто невозможно отказать». Желаю и вам достичь такого же приятного состояния.

Помните о пагубном влиянии на женскую красоту вредных привычек. Я полагаю, что человек, искренне любящий себя, просто не позволит отравлять свой организм никотином и прочими ядами. В Калифорнии введен закон, запрещающий курение в общественных местах, в том числе в кафе и барах. Нарушителей ждет серьезный штраф. Вот бы у нас так!

Однако бокал красного вина действует очень даже благотворно. Только не забывайте об умеренности.

Одна моя подруга рассказала такую историю. Примерно год тому назад у нее диагностировали многочис-

ленные опухоли, «успокоив», что резать их пока рано, надо подождать, когда они преобразуются во что-нибудь более серьезное. Кто-нибудь другой, наверное, принялся бы лить слезы и бегать по бесчисленным врачам и знахарям. Но она — человек прогрессивный, или, как сейчас говорят, «продвинутый», и понимала, что это вряд ли вернет ей здоровье. И она стала использовать весь арсенал Нового сознания, то есть постоянно проговаривала подходящие случаю аффирмации, пила китайские травы и визуализировала, как с каждым глотком настоя все болезни и блоки организма рассасываются и уходят в землю.

После этого она опять пришла на прием. Врач не поверила своим глазам. На рентгеновских снимках не было ни одной опухоли! Были сделаны повторные снимки — тот же результат. Вот и думайте, что помогло, аффирмации ли, настрой ли, травы или что-то еще. Но самое главное — женщина здорова и счастлива!

И еще одно наблюдение: чем более позитивно настроен человек, тем лучше он выглядит. Я просто радуюсь за своих слушателей, которые расцветают прямо на глазах, когда применяют в жизни аффирмации и радостное отношение к жизни. Очень приятно сознавать, что таких людей становится все больше и больше. Мы расширяем вокруг себя поле любви, счастья, красоты и добра и тем самым исцеляем наше ближайшее окружение, затем город, страну и, наконец, планету. Это естественный процесс. Ведь подобное всегда тянется к подобному. А какие люди появляются рядом с нами! А как быстро исполняются желания! А успех просто в экстазе бросается к нашим ногам, ему больше ничего не остается! Мы действительно порхаем от успеха к успеху, от радости к радости, от удачи к еще большей удаче! Это так вдохновляет, особенно когда сознаешь, что это лишь начало блистательного пути.

Программа действий по привлечению успеха

1. Я избавляюсь от чувства вины за естественное стремление к красоте. Я заслуживаю всего самого прекрасного, что только могут мне предложить все парфюмерно-косметические фирмы. Я разрешаю себе пользоваться всеми приятными атрибутами для женской красоты. Этот мир – для меня. Отныне я настраиваюсь на привлечение все большей и большей красоты и здоровья в свою жизнь. Я начинаю любовное отношение к своему телу с определения вредных привычек и постепенного отказа от них. Я все могу.

2. Я использую каждую возможность для ухода за собой. Я стараюсь развить в себе привычку всегда хорошо выглядеть, даже если (и особенно если) я в доме одна.

3. Я стараюсь исключить все вредные привычки из своей жизни. Я хорошо помню, что главный друг красоты – это сон, и всегда нахожу возможность для отдыха.

4. Я работаю над изменением своего сознания на позитивное и расширяю поле своей красоты и любви на окружающих, которые только выигрывают от этого. Я люблю себя и свой новый прекрасный мир, который сама создаю!

Глава 2
ПЕРЕВОДИМ ЧАСЫ НАЗАД

Желанное всегда заботы требует

Да, а почему бы и нет? Мы же все можем! Надо только захотеть. Уверенность моя основывается на очень и очень авторитетных источниках. Например, доктор Дипак Чопра пишет: «Вы можете повернуть ваши биологические часы вспять путем изменения ваших представлений о самом себе». Мы еще только начинаем осознавать, насколько велика сила нашего сознания. А давайте в качестве эксперимента начнем молодеть!

В книге Д. Чопра «Путь волшебника» Мерлин говорил своему ученику, будущему королю Артуру: «Вы, люди, стареете, болеете и умираете только потому, что не знаете, что можно этого и не делать. Как? Не позволяйте себе стареть, живите в обратную сторону». Я думаю, Мерлин знал, что говорил.

Еще один пример. Думаю, многим знакомы исцеляющие настрои нашего соотечественника Г. Н. Сытина. Его метод психокоррекции СОЭВУС, созданный на базе уже известной нам позитивной психологии, излечил не только самого создателя, но и многих его пациентов. При этом отмечались случаи значительного омоложения людей, практикующих данный метод. Это научный факт. Приведу выдержку из его книги: «Я теперь твердо знаю, что все рассуждения людей о кратковременности человеческой жизни и смерти не имеют ко мне никакого отношения. Я упорнейшим образом усваиваю представление о себе как о человеке вечно молодом, вечно юном, как о человеке, который постоянно, непрерывно совершенствуется. По закону материализации представления человека о себе это представление неизбежно, с железной необходимостью будет реализовываться, и я действительно буду превращаться в молодого энергичного человека». Эти идеи буквально витают в воздухе. А основаны они все на том же великолепном принципе, что наша мысль материальна и все желания сбываются. А время относительно, друзья мои, относительно. И течет оно, говорят, для всех по-разному, а то и в разные стороны.

Недавно одна моя соратница по Новому сознанию рассказывала, что встречалась с бывшими одноклассниками, которых не видела уже десять лет. С трудом можно было узнать многих бывших девчонок и ребят. А ее все спрашивали: «Скажи, в чем секрет твоего прекрасного внешнего вида? Что ты делаешь с собой? Влюбилась, что ли?» А она, смеясь, говорила, что влюбилась... в себя. Вот и все. Откровенно говоря, я тоже в обществе ровесников чувствую себя младше всех. А все дело в настрое.

Чрезвычайно вдохновляет и волнует меня также загадочный образ графа Калиостро. Этот блистательный алхимик и чудотворец появлялся при королевских дворах Европы в течение трехсот (!) лет. Чувствовалось, что почтенный возраст нисколько не мешал ему оставаться любителем прекрасного пола и других радостей жизни. И при этом он всегда выглядел безукоризненно, прекрасно одевался, был баснословно богат и выглядел все эти столетия очаровательным мужчиной лет сорока, в самом расцвете сил. Легенда? Возможно. Но в основе любой легенды лежат факты. Про графа Калиостро, принадлежавшего к Вознесенным Мастерам, долго еще можно рассказывать, именно с изучения его личности началось мое увлечение Новым сознанием, но сейчас мы с вами беседуем о молодости.

Шаг 1 «ПРОСТО НАДО НЕ СТАРЕТЬ, И В ЭТОМ ВЕСЬ СЕКРЕТ»

Мы с вами знаем уже достаточно, чтобы осознать тот факт, что мы выбираем себе ту жизнь, которая сформирована в нашем сознании. От этого мы делаем еще один небольшой шажочек и... живем в обратную сторону. Для этого нужно не так уж и много:

— решить для себя, что отныне мы не стареем, как все, а молодеем, и поэтому слова знакомых: «А ты все молодеешь» — воспринимаем совершенно серьезно;

— создать вокруг себя атмосферу молодого восприятия жизни (когда мы перейдем к изучению Фэн-Шуй, я расскажу, как этого можно добиться в собственном доме);

— постоянно стремиться к новому, учиться всю жизнь, ибо молодое сознание — это растущее сознание;

— читать не газеты, а произведения классической литературы (как в школе, только с удовольствием, ведь должно же быть какое-то преимущество взрослого возраста, в конце концов);

— постоянно заниматься на всяческих курсах по интересам. Пусть это будут иностранные языки, музыка, хоровое пение, живопись, танцы. Никаких отговорок типа: «Это не для меня». Запомните, это ваш мир. Я, например, обожаю заниматься танцами живота, и при этом я не пышная черноволосая восточная обольстительница, а стройная блондинка европейского типа. Но танцевать мне очень нравится, и я это делаю везде. И в Америке и в России;

— путешествовать по новым местам. Это очень освежает, дарит новых друзей, контакты, что так необходимо для достижения успеха;

— чаще ходить в театры, на концерты;

— знакомиться с новыми людьми, не ограничивая себя только старыми знакомствами.

Помните, мы говорили о том, что наше тело является сгустком энергии, а энергией можно управлять, точнее, направлять ее в нужную нам сторону. И здесь интересы здоровья и омоложения переплетаются, так как одно невозможно без другого. Тело можно «уговорить» сделать все, что вам угодно. Но ему нужно помочь правильным питанием и регулярными физическими занятиями, тогда эффект будет намного лучше. Когда я вижу сильно располневшего человека, мне хочется спросить: «Что вас тревожит?» Ибо переедание в большинстве случаев вызвано страхом, тревожностью и чувством вины. Хотя, конечно, и элементарной ленью и незнанием правил здорового питания.

Я не буду перечислять всевозможные диеты. Мне кажется, что лучшая диета — это здравый смысл. Но самое главное — это отказ от высококалорийной и низкоэнергетичной пищи — всевозможных гамбургеров, пиццы и прочих радостей быстрого сервиса. И умоляю вас, не пейте газированные сладкие напитки! Кроме того, что они нагружают организм избытком углеводов, многие из них, например «кока-кола», вызывают привыкание! У меня был период, когда жизнь казалась неполноценной, если в холодильнике не стояла литровая бутылка с «кока-колой». Хорошо, что я вовремя осознала, что это ненормально.

Лучший напиток для человека — чистая вода. Замечательно, что в России уже стало возможно заказывать большие бутыли с родниковой водой на дом. Это полезное приобретение цивилизации. Если в вашем регионе сложно организовать подобную услугу, то установите очистители воды, ибо чистота воды — очень важный фактор здоровой жизни. Заботясь о подобных вещах, мы оказываем неоценимую услугу нашему драгоценному телу и прибавляем себе годы жизни.

Программа действий по привлечению успеха

1. С каждым днем я осознаю, что все ограничения так называемого «возраста» находятся только в моем сознании, и нигде больше. Сколько бы мне было лет, если бы я не знал(а), сколько мне лет? Я сознательно начинаю жить в обратную сторону. Я игнорирую все негативные высказывания вроде: «В твоем возрасте уже...». Я молодею с каждым днем!

2. Я начинаю относиться к жизни с легкостью бабочки, порхающей на прекрасном лугу. Я не боюсь ничьего осуждения. Я делаю то, от чего чувствую себя хорошо. Я создаю свой чудесный мир, наполненный тем, чем я хочу его наполнить прямо сейчас.

3. Я радуюсь каждому дню на этой восхитительной планете и ощущаю себя Богиней (Богом) чистой красоты, молодости и совершенного здоровья. Я сознательно отказываюсь участвовать в обывательских разговорах на темы, которые оскорбляют мой слух и достоинство, так как негативные энергии губительно отражаются на красоте.

Шаг 2 | ВОЗЬМЕМ СЕБЯ В РУКИ

Я предлагаю вам использовать прекрасную методику оздоровления и омоложения, которая доступна всем. Я уверена, что при всем недостатке времени вы сможете найти для себя пять—семь минут в день.

Каждый раз после душа или ванны обязательно умащивайте все свое тело лосьоном, массажным маслом, но не просто так, а с ласковыми обращениями к нему. Поблагодарите свои ноги, которые несут вас, куда бы вы ни пожелали. Поблагодарите и выразите искреннюю любовь своим рукам, ведь они столько делают для вас. С добрыми словами помассируйте плечи, живот.

Советую вам использовать чрезвычайно сильные аффирмации, которые как нельзя более кстати в этом случае:

— я выражаю искреннюю любовь к своему прекрасному, здоровому, молодому телу;

— я люблю себя таким(ой), какой(ая) я есть;

— с каждым днем я становлюсь все моложе и здоровее;

— с каждым днем организм все энергичнее работает на омоложение и здоровье.

— все мои способности улучшаются с каждым днем;

— я устанавливаю свой возраст на ... лет (рекомендую занизить ваш реальный возраст на десять—пятнадцать лет).

Уже через месяц либо вы сами, либо окружающие заметят произошедшие с вами перемены. Ваше тело станет более подтянутым, гладким, ухоженным, стройным. Оно обязательно почувствует любовь к себе и ответит вам здоровьем и красотой! А самое главное, ваши глаза будут гореть неугасимым огнем молодости. Попробуйте, вам обязательно понравится! А ведь именно такой внешний вид необходим нам для получения признания и успеха.

Продолжаем наше путешествие во времени. Подумайте, что еще свойственно юности? Веселый, беззаботный смех! Не упускайте любую возможность посмеяться. Смех – великий активатор счастья, помимо всего прочего он способствует улучшению кармы.

Мой замечательный Гранд-Мастер Фэн-Шуй, несмотря на свой более чем солидный возраст, хохочет, как мальчишка. Ни одно выступление, даже на серьезной конференции, не обходится у него без озорных шуточек. Люди его обожают! И выглядит он превосходно.

Только представьте себе, что успех находит нас по радостному смеху, и вам захочется веселиться все время. Я, например, считаю, что мерилом успеха является даже не величина капитала, а счастливый, свободный смех. Тогда я уверена, что у человека все в порядке, а будет еще лучше.

Смысл жизни заключается не в борьбе и лишениях, не в ношении вериг мучеников, а в пребывании в состоянии счастья, тогда успех, деньги и друзья появляются сами собой, привлеченные вашим новым видением мира.

Программа действий по привлечению успеха

1. Я использую каждую возможность для ухода за своим постоянно молодеющим телом. Мне вполне доступна методика самомассажа, который я могу выполнять после душа или ванны. Меня чрезвычайно радуют положительные перемены, происходящие в моем сознании, так как, изменяя сознание, я изменяю себя, свое самочувствие в лучшую сторону.

2. Я знаю о великой очистительной силе смеха и нахожу все новые и новые поводы для того, чтобы от души посмеяться. Смех притягивает успех!

Шаг 3 | РАСШИРЯЕМ ВОЗМОЖНОСТИ ДЛЯ СМЕХА

Если вам не до смеха в настоящий момент, я могу помочь вам вспомнить, что может вас порадовать и вызвать улыбку.

— Зайдите в магазин игрушек. Представьте себя маленьким ребенком и подумайте, что бы вам хотелось здесь купить. Вас могут ожидать приятные сюрпризы.

— Рассказывайте анекдоты. Люди очень любят посмеяться, и вы можете неожиданно привлечь на свою сторону новых поклонников.

— Затейте веселый праздник в честь весны, осени, голубого неба и солнечного света и испеките печенье с детьми.

— Накупите воздушных шаров и устройте праздник исполнения желаний вместе с детьми или друзь-

ями. Надуйте шарик и, загадав желание, отпустите его в воздух. В тот момент, когда шарик скрывается из виду, Высшая сила «принимает» ваше желание. (То же можно сделать и с мыльными пузырями.) Представляете, сколько радости вы можете извлечь из такого праздника разноцветных шаров и желаний!

— Берите в видеопрокате не боевики, а веселые комедии.

— Посещайте конкурсы бальных танцев.

— Почаще играйте со своими детьми и с животными.

— Катайтесь на велосипеде, лыжах и коньках.

— Пойте вместе с детьми и друзьями.

— Воспринимайте жизнь легче и веселее.

Ну как, вам захотелось сделать что-нибудь из перечисленного? Тогда вперед, ведь нам предстоит испытать еще столько радости. Поверьте, что мы сами создаем свою реальность. Если вы решите, что вас ждет счастье, то так оно и будет.

До моего знакомства с Новым сознанием я частенько впадала в меланхолию. Более того, мне казалось, что чем больше я страдаю, тем скорее «некто» пожалеет меня и все уладит. Но этого не происходило, напротив, проблема часто усиливалась. Тогда я еще не понимала связи моего внутреннего состояния с проявлениями во внешнем мире.

К счастью, сейчас все обстоит иначе. Мне удалось настолько прочно закрепить в себе состояние огромной радости жизни, что я являюсь источником бьющей через край положительной энергии и для многих моих друзей.

Меня очень радует, когда они говорят, что звонят мне и приходят на мои семинары для того, чтобы подпитаться радостной и вдохновляющей силой, которую я бесконечно излучаю. Такого состояния могут достичь абсолютно все, так как радость — внутри нас, надо только извлечь ее на поверхность.

Мы уже достаточно настрадались в нашей прежней жизни, чтобы понять, что это не наш путь. Наш путь состоит не в том, чтобы тянуть за собой вериги мучеников и упиваться якобы очищающим страданием, а выбрать для себя совершенно новый, блистательный мир, созданный нашим выбором. Мир бесконечно расширяющегося счастья, изобилия, наслаждения бытием, радости и любви. Помните, не успех приносит счастье, а счастье приносит успех, богатство и признание!

Программа действий по привлечению успеха

1. Я смеюсь и веселюсь, уподобляясь детям и просвещенным.

2. Я осознаю, что страх притягивает неудачи, а блаженство делает нас неуязвимыми. Ну что может угрожать человеку, который ничего не боится? Поэтому я наполняю каждый момент своей новой жизни радостью и счастьем. Мы слишком долго жили, мучаясь от незнания того, что все создается только по нашему выбору, и сейчас с удвоенной энергией устремляемся к свету.

3. Я выбираю счастье, ибо именно ощущение постоянно расширяющегося счастья и приносит все те радости жизни, к которым мы стремимся.

Глава 3
ФЛИРТ КАК ОСНОВА ДЛЯ УСПЕШНЫХ ВЗАИМООТНОШЕНИЙ

Здоровайся со всеми везде и всюду, особенно с людьми пожилого возраста. Хочешь быть здоровым – здоровайся со всеми.

Живи с постоянным желанием сделать людям добро, а когда сделал – никогда не вспоминай об этом и поспеши сделать еще.

Порфирий Иванов

Почувствуйте свою связь со всеми людьми. Пусть ваша любовь идет от сердца к сердцу. Изливая любовь, знайте: она вернется к вам, умноженная стократно.

Луиза Хей

Как это – флирт? Флирт – это же «из другой оперы». Это же томные взгляды, нечаянные прикосновения, вздохи и все такое прочее, что может привлечь внимание представителя противоположного пола. При чем же здесь жизненный успех и процветание?

Все правильно. Мы знакомы с этим словом именно в таком смысле. Но если мы наделим его немного другим содержанием и скажем, что это способность устанавливать искренние, дружеские взаимоотношения с людьми, все станет на свое место.

Никто не будет спорить с утверждением, что достижение успеха в жизни совершенно немыслимо без хороших взаимоотношений с людьми. Я люблю повторять, что люди – это самый ценный вид энергии на нашей планете. Они стоят того, чтобы научиться общаться с ними. Каждый человек – это целая Вселенная. Для меня знакомство с новым человеком всегда увлекательно, ибо никогда не знаешь, насколько может измениться твоя жизнь после этого знакомства. Может выясниться, что ваш новый знакомый ходил в школу вместе с вашей сестрой, что у вас общие интересы по выращиванию редких сортов помидоров в теплицах и он даст вам ценный совет или даже составит протекцию в деле, о котором вы мечтали всю жизнь... Вот видите, сколько полезного таит в себе каждый незнакомец, а вы могли бы пройти мимо него!

Умение общаться с людьми – непременная составляющая успеха. А если вы научитесь располагать к себе людей, тогда успех обеспечен вам, чем бы вы ни занимались.

Я не говорю о манипуляции, я говорю об возникновении мгновенной симпатии к самым, казалось бы, неприветливым людям в различных сферах жизни.

Самый тривиальный пример, когда вас за превышение скорости останавливает инспектор, а платить штраф вам не хочется. Человек, не знающий основ истинного флирта, начнет либо оправдываться, либо спорить с инспектором и получит обычный штраф. Практикующий же искусство флирта прежде всего приветливо поздоровается, возможно, выйдет из машины и спокойно объяснит причину нарушения. Отнеситесь к инспектору внимательно и доброжелательно, уверяю вас, он это оценит, хотя бы потому, что привык совсем к другому отношению к себе. Даже если он все-таки выпишет штраф, настроение у вас все равно будет намного лучше, чем если бы вы препирались и спорили.

Самое главное, пожалуй, это дать человеку почувствовать, что вы цените и уважаете его. Потому что людям нравится, когда их любят.

Совсем недавно мне пришлось получать справку в местной администрации. Я попала к концу приема, когда шансов у меня уже не было. Но зато у меня был букет цветов, полученный к 8 марта. Я с легким сердцем предложила букет строгой даме, она вся засияла и сказала, что ей даже мужчины не дарят таких букетов. Справка была получена. Чистая импровизация, а как всем приятно!

Я приобрела великое множество приятнейших знакомств в местных магазинчиках и различных салонах, потому что всегда использую знание искусства флирта в общении с людьми независимо от их положения. Мне очень приятно видеть радостные глаза и приветствовать всех тех, с кем я общаюсь даже на самом обычном бытовом уровне. В фильме «Мимино» герой говорит: «Если ты мне сделаешь приятно, я тебе сделаю приятно, и тогда ты мне сделаешь еще приятнее, а я тебе так приятно сделаю, что тебе будет очень-очень приятно». Вот, собственно, и вся философия.

Переходим к практике.

Шаг 1 | ПРОЯВЛЯЕМ ИНТЕРЕС

Всем известно, что на фотографиях люди смотрят прежде всего на себя, а только потом на других. Так устроено. Мы все-таки очень любим себя. Зная это, делайте то, что ценят абсолютно все, – проявляйте уважение и интерес к собеседнику.

При беседе с людьми смотрите им в глаза: если человек избегает смотреть в глаза, создается впечатление, будто он что-то скрывает, значит, ему не во всем можно доверять. При этом не надо «сверлить» человека глазами, время от времени отводите взгляд в сторону, а потом опять возвращайтесь.

В семье моих знакомых выросла единственная дочь. Разумеется, всех претендентов на руку и сердце оценивала строгая «комиссия» в лице мамы и папы. Один из молодых людей пришелся по сердцу дочери, они долгое время встречались, но что-то неясное томило душу матери. И наконец она поняла: «Да он же никогда не смотрит в глаза! Всегда прячет взгляд!» Молодому человеку было отказано, и, как впоследствии оказалось, совершенно правильно.

Подтверждайте свои хорошие намерения открытым дружелюбным взглядом, и число ваших друзей и соратников будет расти.

Шаг 2 | «ДАВАЙТЕ ГОВОРИТЬ ДРУГ ДРУГУ КОМПЛИМЕНТЫ...»

Вы знаете, за что я люблю восточных людей? Да, конечно, за их фантастическое умение сказать приятное в нужный момент. У них эта способность в крови. Я имею в виду не комплимент типа: «Ах, какой дэвушка, вай, вай» (хотя и это иногда к месту), а четкое сознание того факта, что человек становится подсознательно на твою сторону, если ты сумел оценить его по достоинству. Ну кто еще может сказать знакомой даме: «Спасибо вам, что вы передали свое очарование и красоту дочери!» Одним выстрелом двух зайцев сразу наповал. И большого и маленького. Учиться надо у таких людей. Вот и учимся.

Друзья мои, – я недаром именно так обращаюсь к своим читателям, ибо практика показывает, что многие из моих читателей действительно становятся для меня драгоценными друзьями, – давайте откроемся навстречу людям, с которыми нас сводит судьба, и постараемся каждому сказать что-нибудь приятное. Это не всем удается с первого раза, и иногда нужно потренироваться, но поверьте, лучше сказать комплимент не совсем изысканно, чем не сказать ничего вообще.

Иногда добрым словом мы способны совершить переворот в душе человека.

С одной своей знакомой я проводила медитации с использованием исцеляющих настроев Сытина, а затем, охваченная порывом, сказала ей, какая она прекрасная женщина, красавица, королева, достойная всего самого лучшего в жизни. Конечно же, я говорила совершенно искренне. Вы бы видели глаза этой замечательной женщины! Они просто сияли от радости и вдохновения. А затем она тихо произнесла: «Вы знаете, Наташа, мне никто никогда таких слов в жизни не говорил, хотя я была замужем. Вы первая сказали мне так много хорошего обо мне». Честно говоря, я не знаю, кто больше получил удовольствия от нашей беседы — она или я сама.

Хочу предупредить об одной ошибке, которую часто совершают люди, только начинающие практиковать великое искусство комплимента. Они говорят, что стараются говорить людям хорошее, но те либо не понимают, либо не платят тем же, либо воспринимают добрые слова как попытку что-то получить, как хитрость.

Примите этих людей такими, какие они есть. Вспомните основополагающие законы Нового мышления – мы здесь не для того, чтобы контролировать других, но для того, чтобы самим достичь счастья, удовольствия и привлечь успех в свою жизнь. То, что вы отдаете добрые слова другим людям, не останется незамеченным. В данном случае вы излучаете положительную энергию во Вселенную. Она вернется к вам обратно, но совсем не обязательно через этого конкретного человека. Вселенная найдет способ сделать вам приятное, не беспокойтесь.

Главное – будьте доброжелательны к людям, и вскоре вы почувствуете, что и к вам относятся намного лучше.

Итак, в качестве упражнения постарайтесь в течение дня находить поводы для комплимента и дарить знакомым и незнакомым людям радость. У каждого человека, даже самого угрюмого, есть какая-то положительная черта. Попробуйте разглядеть ее и сделайте комплимент. Мы с вами расширяем пространство любви и делаем это совершенно сознатель-

но. Наше общество изнемогает от злобы и темноты, давайте поможем ему.

Я стараюсь говорить что-либо приятное и незнакомой продавщице в универмаге, и крупному руководителю в кабинете. Поверьте, независимо от положения всем хочется почувствовать свою уникальность. Радуйте людей, это совсем не сложно. И тогда вы заметите, что все начинает складываться словно бы само собой, как будто вы встали на невидимые, но очень прочные рельсы. Куда бы вы ни пришли, вам будут улыбаться и относиться к вам особенно, потому что вы посеяли уже семена счастья и вам остается только собирать вкусные плоды.

Поскольку я отношусь к каждому человеку как к личности, индивидуальности, мне удалось очаровать даже своего стоматолога в те краткие моменты, когда я еще могу говорить. В результате этого поход в стоматологическую клинику превращается для меня в праздник, наполненный искренним теплом и радостью. И так во всем.

Проявляйте искренний интерес и внимание к людям. Это окупится!

Шаг 3 | «АЛЕ, ЭТО КТО?», ИЛИ КАК ПРАВИЛЬНО «ПОДАТЬ» СЕБЯ ПО ТЕЛЕФОНУ

Несколько слов об искусстве флирта по телефону. Вы, наверное, замечали, что иногда, еще не встречаясь с человеком, можно многое сказать о нем, просто поговорив по телефону. Меня умиляет такой, например, способ вести разговор: у вас звонит телефон, вы снимаете трубку и слышите незнакомый голос, который (не поздоровавшись) спрашивает: «Але, это кто?»

В таких случаях хочется спросить: «А это кто?» Затем голос продолжает: «Мне Семен Семеныча». Если искомого Семен Семеныча не оказывается, трубку на той стороне бросают, а вы остаетесь с ощущением некоторой растерянности.

С точки зрения моей любимой метафизики телефон представляет собой выход во внешний мир. Когда телефон звонит, у человека возникает выбор, как поступить. Он может подойти к телефону:

– с опаской, вдруг это кто-то, с кем совершенно не хочется говорить;

– с надеждой, что это любимый человек;

– со скукой и усталостью;

– с раздражением, что его отвлекают от телесериала;

– с радостной надеждой на новый этап в жизни;

– с выражением доброжелательной заинтересованности к звонящему.

Что вы выбираете? Это вовсе не праздный вопрос. Мы же сами создаем все условия своей жизни. Теперь, когда я сознательно расширяю круг своего счастья, я подхожу к телефону с предвкушением чуда и радости. И вы знаете, мне звонят восхитительные люди, читатели и слушатели со всех концов страны, звонки их наполнены любовью, благодарностью, и я всегда выслушиваю всех с большим удовольствием.

Если вы – руководитель компании, то не жалейте времени, чтобы обучить своих сотрудников искусству флирта, или установлению доброжелательных отношений с потенциальными клиентами по телефону.

Предлагаю вам подходить к телефону с доверием, доброжелательностью и со всем энтузиазмом, на который вы только способны. Людям это нравится. Люди это ценят. Они будут чувствовать себя нужными вам или вашей компании. Таким образом закладывается фундамент хороших взаимоотношений. Все, «процесс пошел». Вы в потоке, ведущем к успеху.

«Я вам сейчас один умный вещь скажу, но только вы не обижайтесь», хорошо?

Успех основан также и на сексуальной привлекательности. Причем неважно, кого мы очаровываем – мужчин или женщин. Природа этой энергии едина и поэтому действует одинаково сильно на всех.

Это не значит, что мы должны строить глазки своему шефу в надежде добиться прибавки в зарплате. А уж служебные романы приносят больше проблем, чем радостей, но все же, все же... Наполеон Хилл в своей книге «Думай и богатей» пишет о том, что именно сексуальная энергия является стимулом для материального роста и успеха. Что большинство сделок на планете происходит потому, что господину X очень нравится госпожа A и он старается таким образом выразить свое влечение к ней. Для описания данного феномена можно использовать такое мудреное понятие, как сублимация одного вида энергии в другой.

Люди, обладающие сильной сексуальной энергией, обычно очень привлекательны, выделяются из толпы своей манерой говорить, одеваться, оказывать влияние. Таким людям сложно отказать.

Очень большое значение здесь имеет уверенность в себе. Если вы абсолютно, непробиваемо, железно уверены в собственной привлекательности – это уже половина успеха. Как этому научиться? Да следовать всем тем советам, которые я здесь в таком множестве излагаю. Применив эти знания, вы будете наслаждаться жизнью, миром и общением с самим собой и с людьми.

Наслаждаясь собственным видом, вы начинаете излучать особую энергию – энергию полноты жизни, самодостаточности, уверенности. И вы знаете, что происходит? Людей завораживает ваша уверенность в себе, манера держаться, и они начинают невольно прислушиваться к вашему мнению, к вашим словам. Они хотят быть похожим на вас! Представляете, чего вы добиваетесь! Вы начинаете влиять на людей. А начало всему положила ваша сексуальная энергия, превращенная во внутреннюю силу.

Упражнение «Поиск внутренней силы»

Если сегодня вы не чувствуете эту мощную энергию в себе, предлагаю вам определить несколько черт вашего характера, внешности или поведения, которые вам действительно нравятся и которыми вы можете искренне восхищаться.

Составьте список всех своих положительных качеств. Часто бывает, что люди охотнее находят в себе отрицательные черты, чем положительные, поэтому постарайтесь оценить себя по достоинству. Забудьте про ограничивающие вас понятия, негативные установки и тяжелое детство. Если вы можете найти только одно качество, развейте его всемерно. Например, вы не разбираетесь в искусстве, но превосходно готовите спагетти с кальмарами (или пироги с грибами). Запишите этот ваш талант и почувствуйте гордость, что вы им обладаете. Тогда все остальные ваши положительные свойства всплывут сами собой.

Это упражнение поможет вашему подсознанию почувствовать себя комфортно, и вы будете ощущать себя намного увереннее во многих ситуациях, когда необходима внутренняя сила.

Не могу не рассказать вам об удивительной теории, о которой я прочитала у психолога С. Попова. Кому-то эта мысль покажется спорной или даже скандальной, но у меня, друзья мои, есть ее подтверждения в жизни. Основная идея заключается в том, что сексуальная энергия на самом деле приносит не только успех, но и наличные деньги (нет, это не то, о чем вы подумали).

Оказывается, сексуально активный человек как бы дает сигнал Единой Матери Природе, что он готов продолжить человеческий род, на что ему, как потенциальному кормильцу, выдается соответствующее материальное обеспечение, то есть просто деньги. Более того. Необязательно вести разгульный образ жизни, можно просто медитировать на указанную тему во всех подробностях. Поскольку у Вселенной, как мы уже знаем, нет чувства юмора, эта медитация воспринимается Высшими силами как ваше сильное желание, и вам опять-таки выдается сумма на пропитание возможного потомства. Каково?

Максим весьма и весьма любвеобилен. Кроме бесчисленных подружек, у него были три жены, у каждой по нескольку детей, и он всех кормит! И благосостояние этого удачливого бизнесмена, так же как и его уверенность в себе, постоянно растет. Процесс продолжается, потому что увеличивающееся количество денег привлекает еще большее количество девушек, и так до бесконечности.

Выводы делайте сами. Поймите меня правильно. Я не призываю к повальному разгулу, во всем хороша мера, но задуматься о потенциальной силе сексуальной энергии можно.

Кстати, вспомнились слова одного успешного предпринимателя после встречи с новым партнером по бизнесу: «Он просто влюбился в меня».

Я даю вам информацию к размышлению, а вы уже используйте ее как вам нравится, договорились?

Да, да, наконец-то мы добрались до такой важной составляющей успеха, как одежда, элегантность, внешний вид. Так было, есть и будет: нас с вами оценивают прежде всего по одежде, не говоря уже об аксессуарах. Я не имею в виду, что часы обязательно должны быть Картье, а костюм от Версаче, но чувство стиля очень помогает добиваться нужного влияния на людей.

Элегантность – это не прихоть, а проявление дисциплины и уважения к другим людям. Когда я беседую с человеком и вижу, что у него мятые брюки с засаленными коленями, я делаю соответствующий вывод о его внутренней организации. Какой сигнал подает такой человек? Скорее всего, он неорганизован, неаккуратен, возможно, выпивает, а значит, ненадежен в делах! Вот как далеко завел меня простой взгляд на его брюки. Вы понимаете, что не в брюках, собственно, дело. Это может быть обувь. Это может быть неряшливый портфель. Здесь нет мелочей!

Если мы собираемся иметь дело с партнером по бизнесу, нам надо прежде всего ему доверять, и внешний облик играет здесь громадную роль. Я довольно часто присутствовала на деловых переговорах и могу сказать, что даже манжеты на рубашке и запонки имеют значение для установления партнерских взаимоотношений. Когда вы идете на важную встречу, имейте в виду, что вас «сканируют» с ног до головы. Будьте готовы выглядеть достойно.

Меня очень радует, что у нас складывается этикет бизнес-гардероба. Тем не менее не лишним будет напомнить, что спортивные кроссовки, надетые вместе с деловым костюмом, остались там же, где и рухнувшая Берлинская стена, – в далеком прошлом. А ведь приходится иногда видеть подобных «динозавров» в официальных стенах!

Мои знакомые удачливые бизнесмены очень хорошо знают, как велика сила правильно подобранного гардероба в процессе приближения финансового успеха. Я никогда не видела, чтобы кто-то из них носил одну и ту же рубашку два дня подряд, – все рассчитано и подобрано до мелочей, вплоть до цвета носков, гармонирующих с тоном костюма. Такая внимательность позволяет им всегда чувствовать себя на высоте и требовать от своих партнеров такого же уважения к деловым традициям.

А теперь несколько советов, касающихся других важных аспектов «победного» внешнего вида.

– Следите за осанкой. Друзья мои, видели ли вы когда-нибудь ссутулившуюся царственную особу (например, принца Чарльза)? Авторитет, власть, сила подразумевают уверенную осанку, развернутые плечи и гордо поднятую голову.

Если вынужденное сидение перед компьютером плачевно сказывается на вашей осанке, можно сделать очень простую вещь – купить в аптеке фиксатор позвоночника и носить дома. Вы заметите, как уже через пару недель ваша спина выпрямится.

– Следите за состоянием своих зубов и полости рта. Вы знаете, почему у меня такие трепетные отношения с моим стоматологом? Потому что я знаю, насколько приятно людям видеть белые, здоровые и ухоженные зубы. Представьте, что у человека, который убеждает вас подписать контракт на значительную сумму, мягко говоря, неважно пахнет изо рта и отсутствуют некоторые зубы. Здесь ведь и психологом быть не надо, чтобы понять, что вы этот контракт вряд ли подпишете, не так ли?

В крупных косметических компаниях для продажи косметики подбирают если не ангелов красоты, то по крайней мере очень ухоженных милашек, чтобы люди подсознательно стремились выглядеть так же и покупали баночки, дарующие эту неземную красоту. Ухоженность очень важна для успешных взаимоотношений с клиентами.

– Следите за состоянием своих рук. Кстати, это касается и мужчин. Если вы, уважаемые господа, считаете, что маникюр – это чисто женские штучки, уверяю вас, вы ошибаетесь. Красота рук – важнейший стимул для налаживания контактов с людьми, особенно за столом переговоров. Как только я вижу, что у моего собеседника грязные, обломанные ногти, и при этом он или она не работают в угольнодобывающей промышленности, у меня невольно возникает сомнение в устойчивости его нервной системы.

Программа действий для привлечения успеха

1. При общении с людьми я демонстрирую интерес и уважение к ним, глядя им в глаза.

2. Я использую любую возможность для того, чтобы сказать человеку что-нибудь приятное. Доброе слово очень ценно, поэтому я действую уверенно, с любовью и искренним желанием добра окружающим.

3. Я развиваю в себе привычку подходить к телефону, настраиваясь на доброжелательный и приветливый разговор. Тем самым я привлекаю только радующие меня звонки.

4. Я знаю о силе сексуальной энергии и наполняюсь уверенностью в собственной привлекательности, что очень помогает мне в общении с людьми и достижении желаемого.

5. Мой настрой на успех отныне выражается в моей манере одеваться, гордо и прямо держать голову и спину. Я прекрасно знаю о том, как влияет на людей ухоженный внешний вид, и прилагаю все усилия, чтобы во мне было все прекрасно – волосы, руки, улыбка, кожа и легкий запах хорошей туалетной воды.

Итак, мы проделали уже две трети нашего радостного пути к вершинам процветания и успеха. Почему я так много внимания уделила здесь навыкам общения и внешнему виду? Да потому, что понятие успеха неразрывно связано с людьми. Ведь без поклонников нет и звезды, верно? Естественно, что нам необходимо сначала очаровать своих будущих клиентов, покупателей, фанатов, избирателей и т. д.

Так уж мы устроены, что нас очень привлекают успешные, удачливые люди. Не могу не вспомнить слова Булгакова: «Никогда и ничего не проси, гордая женщина, особенно у тех, кто сильнее тебя». Тех, кто просит, не жалуют.

Начните излучать любовь, радость, внимание к людям, и вы заметите, что их отношение к вам будет меняться. Люди начнут сами предлагать то, что вам нужно, без всяких просьб с вашей стороны!

Когда человек выглядит радостным, хорошо одет и излучает доброжелательность к людям, он становится необычайно привлекательным для всего, к чему стремится. Понимаете? Стань таким, каким ты хочешь быть, — таков закон, и вы теперь его знаете.

Итак, выберите успех через красоту, молодость, веселье, радость жизни и любовь к людям, и у него не будет другого выхода, как появиться в вашей жизни!

Часть 3
Фэн-Шуй для достижения славы, успеха и признания

Дух движется во все четыре стороны света, несется то туда, то сюда. Он проникает везде и всюду. Ласкает небеса, кружится у земли. Он преобразует и питает десять тысяч вещей.

Чжуан-цзы

Глава 1
ПРИГЛАСИМ НА ТАНЕЦ ГОСПОЖУ ФОРТУНУ

> Практикующий Фэн-Шуй является самым настоящим владыкой ветра и воды, а также властелином субстанций, лежащих в основе Вселенной и бурлящей в ней энергии.
>
> *Ева Вонг*

А сейчас, друзья мои, мне просто не терпится рассказать вам об удивительной науке и искусстве Фэн-Шуй, которую китайцы практикуют уже около двух тысяч лет. Изначально Фэн-Шуй был привилегией императорских дворцов, и все попытки дать это учение народу пресекались. Известны даже случаи, когда мастеров Фэн-Шуй убивали, воспользовавшись их чудесными знаниями. Императоры боялись распространения знаний Фэн-Шуй, ибо, овладев ими, народ мог обрести силу и стать неуправляемым.

Представляете, как нам повезло, что сейчас книги по Фэн-Шуй можно купить в любом магазине, на любой станции метро, и нам следует быть благодарными за доступность этой информации. Многие что-то слышали о Фэн-Шуй, многие читали книги, но составить свое собственное представление о нем, не пройдя через опыт, довольно сложно. Мне известно, что даже стремящиеся к изучению Фэн-Шуй бывали разочарованы, так как большинство книг написано весьма сухо, противоречиво и мало кого могут вдохновить.

Я хочу представить вам свой собственный взгляд, опыт и своеобразную «историю любви» с Фэн-Шуй, которая началась в 1994 году, продолжается поныне и развивается по спирали, захватывая все более и более глубокие пласты моей жизни и оказывая такое воздействие, на которое я даже не рассчитывала.

Без преувеличения могу сказать, что знакомство с этим древним знанием стало поворотным этапом в моей жизни. Дело в том, что мне пришлось пережить весьма резкие изменения в своей судьбе. Стабильное финансовое благополучие невероятно быстро сменилось полным упадком. После жизни, наполненной роскошью и комфортом, мне приходилось экономить буквально на всем. (Почему это произошло, я узнала позже, после изучения Космических законов богатства.) Когда помощи ждать, казалось, было неоткуда, я страстно просила своих Высших покровителей о поддержке – и тогда мне был послан Фэн-Шуй. Как только я прочитала первую страницу книги, я поняла, что Господь мне ответил и помощь пришла.

Я с жаром принялась изучать и применять полученные знания, и с тех пор моя жизнь и жизнь моих близких изменилась неузнаваемо! Фэн-Шуй помог мне не только улучшить материальное положение, но и почувствовать вкус к жизни, о котором я уже стала забывать во время тяжелого периода безденежья и депрессии. Благодаря знакомству с невидимой энергией Ци, которая пронизывает все живое, ощущение счастья стало для меня постоянным.

Фэн-Шуй дает надежду, наполняет душу радостным предвкушением перемен к лучшему, а если настроишься на успех, то он непременно придет. Благодаря Фэн-Шуй я преуспела во всех сферах жизни, которые важны для меня. Теперь мне встречаются только приятные во всех отношениях люди, передо мной открываются новые благоприятные возможности, которые я стремлюсь непременно использовать, и, самое главное, мое ощущение постоянного счастья невероятно сильно действует на людей. Они хотят со мной дружить, доверяют мне и стремятся получить мою консультацию.

Вдохновленная всеми этими прекрасными переменами, я радостно и уверенно смотрю в будущее и стараюсь сейчас, в настоящем, извлекать из всего максимум пользы для себя и всех окружающих меня людей.

ПЕРВЫЕ СИГНАЛЫ ТОГО, ЧТО ФЭН-ШУЙ РАБОТАЕТ

Возможно, вас интересует, как скоро начинаются положительные перемены и как их оценить?

Вообще здесь не будет резкой грани. Ведь даже ночь не наступает мгновенно, а проходит период сумерек, и лишь затем уже полностью смеркается. Так и здесь. Все происходит постепенно, по нарастающей. В один прекрасный день вы вдруг почувствуете вкус к жизни. У вас появится ощущение какой-то свежести, как будто с ваших глаз сняли тусклую пленку, и вы почувствуете свежие яркие краски в повседневной жизни. Это и будет первым сигналом, что вы на правильном пути. Затем вы почувствуете, что с хорошим настроением выполняете повседневные обязанности и не устаете. Следующий этап, возможно, ознаменуется радостным ощущением, что вас как будто поднимает мощная энергетическая волна и вы делаете необыкновенно много и все успеваете.

Кстати, хочу предупредить лентяев, что работы действительно предстоит очень много. Я часто шучу, что настоящий фэншуист всегда в работе. Ведь столько всего надо изменить! Не рассчитывайте, что все произойдет само собой. А ведь надо еще успевать реагировать на бесчисленные счастливые возможности, появляющиеся на вашем обновленном жизненном пути. Но это так увлекательно!

На том же этапе, на котором сейчас нахожусь я, происходит следующее. Могучий поток благотворной энергии начинает проникать во все аспекты существования. Создается впечатление, что вы несетесь в бурлящей реке жизни, где надо успевать делать очень многое, но зато результаты ваших действий превосходят все самые смелые ожидания.

Разрушаются старые, отжившие связи, и на смену им приходят новые, интересные люди, общение с которыми приносит невероятное удовольствие и радость.

Материальное благополучие появляется как-то само собой, и вы прекращаете вовсе заботиться о деньгах.

Вы добиваетесь успеха во всех своих начинаниях, от удачных покупок до достижения высокого социального статуса.

Вам начинают доверять люди, облеченные властью.

Личные отношения становятся гармоничными, теплыми и доверительными.

Можно еще долго перечислять те преимущества, которые дает применение Фэн-Шуй, но я думаю, что вы уже загорелись желанием скорее изучить его. Браво! Хочу только предупредить, что настоящие мастера учатся Фэн-Шуй всю свою жизнь, ибо эта наука неизмерима, как и Вселенная.

Специальное замечание для верующих людей, сомневающихся, можно ли им использовать знания Фэн-Шуй. Фэн-Шуй – это не религия и не магия. Это система проверенных временем знаний о том, как правильно построить свою жизнь с учетом природных энергетических условий. Вы можете исповедовать христианство, ислам или иудаизм и в то же время спокойно заниматься Фэн-Шуй. Рассматривайте это скорее как науку о гармонии человека с окружающим миром.

Что же касается специальных буддийских ритуалов, таких как пение мантр и обращение к Будде, – то вы можете заменить их молитвами, соответствующими вашей религии.

Мой учитель Мастер Яп Чен Хай обучает людей во всем мире и помогает своим клиентам добиться успехов независимо от вероисповедания или национальности. Эта наука универсальна и подходит всем

жителям Земли. Ибо на всех нас действуют одни и те же законы гармонии и магнитные силы нашей Матушки Земли.

В этой книге я намерена рассказать о том, как, используя Фэн-Шуй, вы можете достичь успеха и, возможно, славы, если ставите перед собой такую цель. Имейте в виду: улучшая свой Фэн-Шуй, вы сможете не только улучшить свое материальное положение, но и обрести друзей, расширить свои возможности и горизонты в карьере, улучшить здоровье, укрепить взаимоотношения с партнерами и вообще почувствовать жизнь более полно и радостно.

Здесь же хочу отметить, что, по моим наблюдениям, Фэн-Шуй по-разному действует для разных людей. Порой желаемое проявляется опосредованно, то есть не явно. У каждого свой путь.

ТРИ ВИДА УДАЧИ

Мастера Фэн-Шуй учат нас, что существует три вида удачи.

Первая – это **небесная удача**, или **карма**. Она определяет, в каких условиях человек рождается. Считается, что этот вид удачи нельзя изменить. (На самом деле можно, и я вас научу, как это сделать.)

Вторая – это **земная удача**, или **Фэн-Шуй**. Знание законов Фэн-Шуй создает благоприятные условия для жизни на Земле. Фэн-Шуй возможно изменить к лучшему.

Третий вид – это **человеческая удача**. Этот вид удачи определяется образованием, постоянным стремлением человека к самореализации и самосовершенствованию, здоровым образом жизни и позитивным мышлением.

Я не буду углубляться в теоретическую подоплеку знаний о Фэн-Шуй, это серьезная и довольно сложная наука. Я представлю вам конкретные, проверенные временем и опытом методы, приносящие блестящие результаты.

Занимайтесь Фэн-Шуй расслабленно, с удовольствием и с уверенностью в результате, и вы быстро достигнете успеха в применении этой удивительной науки.

Мой опыт позволяет мне утверждать, что, объединив знания Фэн-Шуй с постоянным самосовершенствованием, позитивным мышлением и настроем на успех, можно добиться просто феноменальных результатов и наслаждаться прекрасным изобилием долгие годы. Вы научитесь распознавать окружающие вас энергии, нейтрализовывать вредоносные и полноценно использовать благоприятные.

Практика показывает, что использование только Фэн-Шуй или только Нового сознания не дает таких прекрасных и быстрых результатов, как сочетание этих двух видов знаний. Это весьма ценное дополнение к классическому Фэн-Шуй является моей собственной разработкой. Именно тогда, когда вы изменяете свое сознание, очищаете его от негативных блокировок и устаревших моделей, вы можете с успехом применять Фэн-Шуй. Концентрированная энергия вашего желания перемен во время анализа Фэн-Шуй вашего дома, усиленная стократ энергетическим импульсом аффирмаций, действует великолепно.

Ваши сильные желания начинают сбываться, в вашей жизни начинают происходить глубинные благоприятные перемены. Наступает время нового развития, обновления жизни во всех аспектах. Все, что вам нужно делать, это применять в жизни правила Фэн-Шуй и быть совершенно уверенными в наступлении счастливых перемен. Они не заставят себя ждать!

Глава 2

УБЕРЕМ ПРЕПЯТСТВИЯ ИЗ СВОЕЙ ЖИЗНИ

Наш дом – это продолжение нашего тела.

Изречение Фэн-Шуй

Дом – это живой организм, выполняющий роль посредника между нами и Вселенной. Через свой дом, используя язык символов и взаимоотношения элементов, мы можем сознательно менять свою жизнь. Есть такое высказывание: «Выбирая дом, выбираешь судьбу».

У меня уже выработалась привычка внимательно вглядываться во все мелочи незнакомых мне домов и квартир. Как правило, по состоянию дома можно ставить «диагноз» и самому хозяину. Дом может стать оазисом среди суеты и хаоса и островом света, гармонии и красоты. Существуют пути распространения энергии мира. Через гармонию и очищение энергии в вашем доме вы можете распространять свет и гармонию во Вселенную. Уверяю вас, она это заметит! Мысль о том, что мы можем существовать независимо от нашего окружения, – иллюзия! И эта иллюзия пагубно влияет на наше здоровье и самочувствие.

В моей практике встречаются иногда хрестоматийные случаи из учебников по Фэн-Шуй. Ко мне обратился мужчина, который умолял помочь ему избавиться от депрессии и от застоя в личной жизни.

Представьте, что в его квартире весь пол, все поверхности были буквально засыпаны использованными пакетами, бумагами. На стенах и даже на потолке (!) не было живого места от всяких бумажечек, записочек, открыточек, календариков и прочего, чему я даже не могу найти название. Окно в комнате открыть невозможно по причине его полной блокировки всякими вещами. Начали мы с разборки завалов — у него улучшилось настроение и пропал хронический насморк. После полной расчистки и корректировки мой клиент впервые за много лет решился встретиться с понравившейся ему женщиной и сейчас жизнь его постепенно налаживается.

Дом всегда на вашей стороне, он готов открыться вам в любую минуту и ждет, когда вы сделаете первый шаг. Когда мы относимся к собственному дому как к живому существу – с уважением и вниманием, начинают происходить удивительные вещи. Вы – на пороге чудесных открытий! Сделайте же первый шаг навстречу своему долгожданному счастью!

ОЧИЩЕНИЕ ПРОСТРАНСТВА ДОМА

Первый этап подготовки к использованию Фэн-Шуй – очищение пространства и расчистка завалов. Невозможно создать хороший Фэн-Шуй в захламленном доме с застойной энергией. Результат будет очень слабым или даже обратным. Прежде всего, надо расчистить завалы. Позже, когда мы будем изучать наложение сетки Багуа на план квартиры, вы увидите, что нет ни одного участка в доме, где хлам не оказывал бы своего пагубного воздействия.

В Фэн-Шуй нет мелочей, ибо мы работаем с энергией, пронизывающей весь мир. Хлам, беспорядок — это затор на пути благотворной энергии. Осознав значение каждого сектора в доме, вы не позволите грязным носкам валяться в секторе славы и успеха, а засохшему букету роз — в зоне любви. Символы — очень сильная вещь.

Давайте определим понятие «завал». Завал — это вещи, годами без использования лежащие в шкафах и на антресолях. Есть вещи, которые хранятся «на всякий случай», «на вырост», «на черный день», «на то время, когда я похудею». Практика показывает, что время этих вещей так и не наступает. Лучше купите себе вещь, в которой вы хорошо выглядите именно сейчас. Когда вы наполняете свой дом любовно отобранными вещами, общение с которыми радует вас, дом становится источником очень сильной энергии и поддержки.

В процессе работы с энергиями вашего дома вы почувствуете, что с вещами необходимо расставаться. Делайте это с удовольствием и уверенностью, что по закону сохранения энергии на освободившееся место обязательно придет что-нибудь новое. Это работает всегда!

Недавно под моим чутким руководством одна знакомая, буквально стеная и заламывая руки, выгребла все старые вещи и раздала их людям. На следующий же день ее муж, вернувшийся из поездки, привез ей огромное количество модной и красивой одежды. Самое удивительное, что раньше он никогда ничего подобного не делал. Совпадение? Слишком хорошо я знаю принципы работы энергий, чтобы так думать.

На энергетическом уровне завал представляет собой сгусток негативной энергии, которая увеличивает свое воздействие в течение времени и становится настоящим «источником заразы» для обитателей дома.

Стремление держаться за старые вещи есть вернейший признак «психологии бедности»! Выбросите все старье, дайте чистому, свежему потоку благотворной энергии прийти в вашу жизнь и заполнить ее новым смыслом. У залежавшихся вещей даже запах специфический. Если вы почувствуете такой запах – это первый сигнал неблагополучной энергии. Задумайтесь, почему вы не носите ту или иную вещь? Напоминает ли она вам о каких-то неприятных событиях, цвет вышел из моды или просто время ее прошло? Если это так, то данная вещь вам больше не нужна. Не стесняйтесь и смело отправляйте ее на свалку истории. Только не на антресоли! Все эти завалы в различных укромных уголках квартир – источник энергетической заразы!

ФЭН-ШУЙ — ЭТО ЯЗЫК СИМВОЛОВ

Фэн-Шуй – язык символов. Завалы на шкафу олицетворяют проблемы, которые готовы неожиданно свалиться вам на голову. Завалы в шкафах посылают сигнал во Вселенную, что вы не верите в возможность Потока Жизни приносить вам все необходимое и храните вещи «на всякий случай». Задайте себе такой вопрос, когда вы смотрите на вещь и спрашиваете себя, выбросить ее или оставить: «Нравится мне эта вещь или нет? Радуюсь ли я, когда я вижу это?» Если да – прекрасно, если нет – выбросите ее, продайте, подарите, обменяйте или сожгите. Есть масса людей, которые с благодарностью примут от вас старые вещи.

Для достижения желаемого успеха во всех начинаниях необходимо подготовить почву. Как только вы выбрасываете вещь, да еще и с нужным приговорчиком типа: «Я заслуживаю в жизни только лучшего», – на ее место сразу приходит новая. Работает безотказно. Проверьте!

Вселенная очень любит символические жесты. Начиная расчистку завалов, скажите: «Я создаю пространство для нового изобилия», «Я очищаю свое сознание» или: «Старое уходит, новое приходит». Законы энергии таковы, что жизнь не терпит пустоты. Когда вы освобождаете место для нового, оно приходит, только и всего.

Старайтесь делать генеральную уборку два раза в год. Вымойте все окна, чтобы иметь чистое видение мира. Вымойте пол под коврами, сотрите пыль с ваз,

стоящих на шкафу. Еще раз пересмотрите свой гардероб и избавьтесь от ненужных и нелюбимых вещей.

А вот с любимыми, дорогими сердцу вещами, особенно с талисманами Фэн-Шуй, пообщаться полезно. Подмигните своей детской фотографии, погладьте статуэтку или вазу, подаренную любимой мамочкой. Окажите внимание «обитателям» вашего дома, и они засияют и будут отдавать вам еще больше. Почините все вещи, нуждающиеся в починке, и выбросите те, что починить не можете.

Неплохо проводить очищение дома также раз в месяц в период полнолуния просто для освежения энергии, чтобы «взбодрить» ее. При этом я не призываю вас быть абсолютными фанатиками чистоты. Жизнь циклична. В доме может быть то грязно, то чисто. Важно ощущение счастья, а не холодное музейное величие. Все хорошо в меру.

Очень интересный эффект дает перестановка мебели и вещей. Попробуйте делать это хотя бы раз в год. Передвигая мебель, вы приводите в движение энергию. Пусть ваша интуиция ведет вас. Доверьтесь себе, и вы все сделаете правильно. Застывшая энергия превращается в застойную и потом во вредоносную. Простое перемещение любимых предметов обихода может существенно оживить самочувствие дома.

Выполняйте уборку с радостью, как медитацию. Прибираясь в доме, вы не только избавляетесь от физического мусора, но обновляете энергию дома и усиливаете ее. В дзен-буддийских монастырях работа по уборке почитается за честь. Превратите уборку вашего дома в священный обряд очищения энергий, и вы будете поражены результатами. Очищение – это верный путь к Просветлению.

Язык Фэн-Шуй – это в большой степени язык символов, поэтому нам надо научиться расшифровывать его и создавать собственные послания во Вселенную. От смысла этих посланий зависит конечный результат.

Входная дверь

Начнем сначала, то есть с входной двери. Посмотрите на нее свежим взглядом, как будто видите впервые. Какую информацию вы можете прочитать по ней? Дверь в квартиру, в дом символизирует ваш взгляд на внешний мир. Иначе говоря, показывает, каковы ваши взаимоотношения с жизнью.

Какой она должна быть? Прежде всего чистой, свежеокрашенной (желательно в оттенках красного), с надежными ручками и замками. Подход к двери не должен быть захламлен всяким мусором. Вход в ваш дом обязательно должен быть хорошо освещен. Это самые основные требования, если вы живете в многоквартирном доме.

Если же у вас отдельный дом, проследите, чтобы дорожка, ведущая к нему, плавно изгибалась, а не направлялась стрелой прямо в дверь. Очень красиво, если у входа стоят живые растения и цветы.

Самое главное – дверь должна быть привлекательной! Это обязательно, иначе удаче просто не захочется заходить в вашу дверь. Когда я вижу двери и подъезды в наших домах, просто грустно становится и всем хочется раздать брошюры по Фэн-Шуй.

Мои друзья говорят, что по моей двери сразу видно, где я живу. По всяким талисманчикам, украшениям и чистоте все находят правильную дорогу, даже не зная номера квартиры.

Кухня

Кухне в Фэн-Шуй отводится особое место. Холодильник и плита – кормильцы семьи. Относитесь к ним соответственно. Следите, чтобы в холодильнике не валялись разные осклизлые кусочки. Выбрасывайте их с радостью, говоря при этом: «Я очищаю свое сознание. Я готов принять новое». Прекрасный Фэн-Шуй – холодильник, наполненный свежими продуктами. Очень полезно держать там бутылочку шампанского и банку с икрой как послание Вселенной, что, во-первых, вы процветаете, а во-вторых, готовы к радостным сюрпризам в жизни. Символизм!

Плита всегда должна быть идеально чистой. Время от времени делайте глубокую чистку плиты, залезая в самые труднодоступные уголки. Не допускайте в плите складов в виде бабушкиных сковородок и покрытых паутиной крышек! Плита – символ питания и благополучия в семье, относитесь к ней уважительно. Очень полезно во время готовки и уборки плиты читать мантры. Фэн-Шуй рекомендует зажигать все горелки по очереди. Если вы привыкли пользоваться только одной или двумя, а остальные бездействуют или даже не работают – это плохой Фэн-Шуй. Прочистите, отремонтируйте горелки и пользуйтесь ими вкруговую. Вымыв плиту, поставьте туда какую-нибудь красивую кастрюлю. Это будет символом того, что у вас все время есть еда на плите.

Некоторые школы Фэн-Шуй рекомендуют повесить над плитой зеркало, но я считаю, что этого делать не надо, поскольку таким образом можно навлечь на себя неприятности: может пострадать здоровье кормильца, или хозяйка будет вдвое больше уставать, или хозяйка дома может потерять свой авторитет.

Лучше всего повесить зеркало в столовой или в той части кухни, где собирается вся семья. Это ведет к процветанию. Над обеденным столом классический Фэн-Шуй рекомендует повесить картину с изображениями, связанными с плодородием, изобилием, чтобы привлекать соответствующие энергии. На обеденном столе хорошо держать блюдо с фруктами – настоящими или искусственными.

Убирайте тарелки сразу после еды. Кухня, где везде лежит грязная посуда, просто не может иметь хороший Фэн-Шуй.

Мусор выбрасывайте каждый день, желательно до 8 часов вечера.

Балкон

По какой-то неизвестной мне причине большинство наших сограждан считают балкон чем-то вроде мусорного ведра, которое к тому же не надо выносить. И копятся годами, десятилетиями баночки, скляночки, кипы пожелтевших газет и еще тонны всяческой дряни на балконе, который при желании можно было бы сделать райским уголком для отдыха. Друзья мои, освободите свой балкон от ненужного хлама. Вы не только принесете эстетическую пользу своему дому, но, самое главное, высвободите гигантское количество энергии для достижения своих устремлений в жизни.

На балконе можно выращивать не только горы старой посуды, но и цветы. Устроив кормушки и поилки на балконе, вы пригласите туда птиц. Кстати, китайцы весьма почитают птиц как носителей Божественной энергии и советуют всячески привлекать их к своему дому.

Птицы несут драгоценную энергию Ян и способны улучшить ваши шансы во всех начинаниях. Ну что, убедила я вас засучить рукава и расчистить балкон? Прекрасно, за дело. Удачи вам!

Спальня

Конечно, очень заманчивым кажется хранить под кроватью чемоданы, старые журналы, лыжные ботинки и так далее. Однако если вы решили улучшить свой Фэн-Шуй, вам придется расстаться с этими завалами. Груды старого хлама под кроватью мешают полноценному, освежающему отдыху. Вообще советую не держать в спальне ничего лишнего. Чем меньше здесь вещей, тем спокойнее ваш сон.

Гостиная

Гостиная служит для приятного общения членов семьи с друзьями и друг с другом. Постарайтесь создать здесь наиболее благоприятную для этого обстановку.

Проверьте, нет ли завалов на шкафах, обязательно уберите все накопившиеся газеты. Прочитав газету, сразу же ее выбрасывайте. Мне приходилось видеть дома, хозяева которых хранили кипы пожелтевших от времени газет и при этом жаловались на депрессию и страх перед жизнью. Ничего удивительного.

Постарайтесь создать в гостиной максимально радушную и уютную обстановку, где неплохо бы и себя представить в выгодном свете. Семейные фотографии, реликвии, дипломы и сувениры из далеких стран стимулируют разговоры с гостями и создают вам хорошую репутацию.

Фотографии

Многие люди хранят у себя не только свои фотографии начиная с младенческого возраста, но и архивы своих родственников. Просмотрите старые снимки. Выберите из них наиболее дорогие вашему сердцу, те, на которых вы выглядите здоровыми и счастливыми, а остальные с легким сердцем выбросите! Никогда не храните фотографии, относящиеся к неудачному периоду вашей жизни, а также те, на которых вы выглядите больными, несчастными. Они отягощают вашу жизнь, мешая прийти в нее новым чувствам, любви и радости! Особо хочу отметить снимки ушедших из жизни людей. Портреты бабушек и дедушек в комнатах негативно влияют на живущих людей. Снимите их со стен, уберите в специальную папочку.

Шкафы

Часто для того, чтобы просто поднять себе настроение, достаточно разобрать и вычистить один-два ящика в шкафу. Попробуйте, вам понравится. Избавление от хлама сопровождается такой радостью и чувством освобождения, которые иногда превышают удовольствие от покупки. Переберите вещи и оставьте только те, которые радуют вас. Остальные – вон. Если вы хотите свободно плыть вместе с потоком энергии, не старея и все время изменяясь к лучшему, – привлекайте в свою жизнь положительные перемены!

Часто меня спрашивают, что делать с ненужными подарками. Только не хранить! Не надо держать у себя неприятную вам вещь из страха обидеть подарившего! Примите дар с улыбкой и благодарностью и распорядитесь им по вашему усмотрению. Храните и пользуйтесь только теми вещами, которые доставляют вам радость.

Одежда секонд-хэнд

Все мастера Фэн-Шуй сходятся во мнении, что приобретать ношеную одежду вредно. Одежда сохраняет энергию прежних владельцев, а где гарантия, что она принадлежала чистым и гармоничным людям? Исключение может составлять только детская одежда, так как дети, обладающие большей энергетической силой, способны сами преодолеть негативные наслоения.

Если вы все-таки приобрели одежду, которая принадлежала незнакомым вам людям, проведите ее энергетическую очистку:

– выстирайте вещь с добавлением двух столовых ложек морской или поваренной соли;

– воскурите благовонные палочки и несколько раз проведите ими над вещью, чтобы она пропиталась ароматным дымом;

— «прозвоните» вещь, то есть возьмите обычный колокольчик или «музыку ветра» (которая должна быть в арсенале каждого, интересующегося Фэн-Шуй) и начинайте звонить в свое удовольствие, пока не почувствуете, что достаточно;

— в завершение прочитайте три, семь или девять раз любую молитву или мантру:

Ом Ма Не Пад Ме Хум.

Ванная комната и туалет

Китайцы говорят, что все отверстия нашего тела должны видеть только красивое и чистое. Это означает, что чистота туалета и ванной комнаты должна быть идеальной. В то же время избегайте всяческих украшений этих мест. Все, попадающее в ванную и туалет, символически смывается в канализацию. Поэтому никогда не украшайте эти помещения цветами, даже искусственными, так как это портит вашу романтическую удачу. Лучшее украшение – идеальная чистота и хороший запах.

Машина

Машина (я имею в виду не только автомобиль, но и любую бытовую технику в доме) – продолжение ее владельца. Рассматривайте машину как аксессуар к своему гардеробу. Она должна быть всегда чистой. Хольте и лелейте ее, дайте ей имя, хвалите ее и разговаривайте с ней! Машины, даже швейные, не любят, когда их отдают чужим. Зато они любят, когда хозяева дают им имена, регулярно моют и ухаживают за ними.

Машины – это часть вас. Относитесь к ним ласково! Чистите свой магнитофон или телевизор с любовью, превратив процесс уборки в церемонию. Когда возникает какой-то затор в делах или в отношениях,

вооружитесь щеточками и тряпочками и не спеша прочистите какой-нибудь прибор. Выковыривайте грязь с радостью, говоря, что все налаживается, все идет плавно и хорошо. Польза будет двойной – и для прибора, и для вашего настроения. У вас возникнет легкость в душе и надежда на лучшее. Часто при этом препятствия исчезают сами собой.

Глава 3
НАЧИНАЕМ ТВОРИТЬ СВОЙ УСПЕХ

Подобное привлекает подобное

Итак, вы расчистили свой дом от завалов, застойных энергий и готовы наполнить его новым содержанием. Выбор огромен. Это может быть любовь и страсть, творчество и карьера, путешествия и радость.

Мы с вами создаем успех, процветание и счастье. Ну что же, за работу. Все в наших руках!

Прежде всего убедитесь, пожалуйста, в том, что никакие «ядовитые стрелы» не смогут разрушить Фэн-Шуй изобилия. «Ядовитое дыхание» излучают структуры искусственного или естественного происхождения, находящиеся в непосредственной близости к вашему дому и видимые из окон. Это может быть угол или треугольная острая крыша соседнего здания; прямая дорога, нацеленная на дом; спутниковые антенны; массивное дерево перед входной дверью и так далее. Со временем вы научитесь мгновенно определять угрожающие и благотворные энергии в вашем ближайшем окружении.

Обнаружив подобные неблагоприятные структуры, вы должны принять меры защиты от них. Растущее прямо перед входом в дом дерево надо обязательно выкопать. Считается, что такое дерево уносит удачу всей семьи. Если выкопать его невозможно, повесьте на дверь защитное зеркало Багуа, которое можно купить в любом сувенирном магазинчике.

От прямой дороги или угла соседнего здания, нацеленных на ваш дом, можно защититься при помощи зеленых насаждений – ряд кустарников смягчает «удар». В городской квартире поставьте на подоконник как можно больше цветов. Вполне уместно будет здесь присутствие кактуса, который своими колючками «защитит» ваш дом.

И традиционный метод – повесить набор воздушных колокольчиков, или «Музыку ветра». Своими мелодичными звуками этот прекрасный талисман Фэн-Шуй «рассасывает» вредоносную энергию и по полым трубочкам выпускает обратно благотворную.

Убедитесь в том, что у вас есть средство защиты от каждого «обидчика», и мы будем двигаться дальше по пути процветания. Вперед!

Глава 4
ВЕТЕР УСПЕХА ДУЕТ С ЮГА. ЗНАКОМИМСЯ С БАГУА

А сейчас мы с вами пойдем в глубь магии Фэн-Шуй. Для этого представляю вам альфу и омегу нашей «китайской грамоты» – символ Багуа. Это правильный восьмиугольник, на каждой стороне которого расположена триграмма.

В соответствии с учением Фэн-Шуй все, что происходит в жизни, может быть разделено на девять категорий, или жизненных ситуаций. Все эти кате-

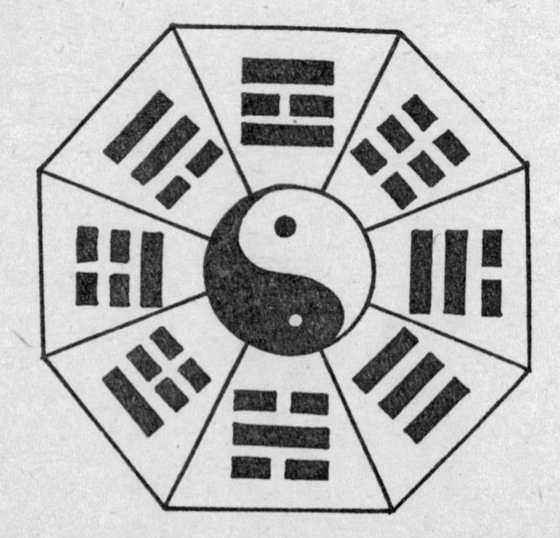

гории, объединенные вместе в определенном порядке, образуют Багуа. Каждая часть имеет свое компасное направление, свой цвет, свой элемент и свою триграмму.

Возможно, вам уже всем знакома легенда о том, что порядок расположения триграмм был послан богами на спине гигантской черепахи, которая выползла на берег реки более двух тысяч лет назад. Именно в это время там находился величайший мудрец тех времен Фу Си, правильно расшифровавший эти символы.

Должна вам сказать, что Фэн-Шуй – наука весьма абстрактная, и чтобы преуспеть в ее применении, надо принимать это древнее учение таким, какое оно есть, и не пытаться найти всему логическое объяснение. Китайцы говорят: «Чтобы наполнить сосуд, надо сначала его опустошить». Так что давайте опустошим наши сосуды, то есть головы, и будем воспринимать премудрости Фэн-Шуй спокойно и расслабленно. Договорились?

Итак, согласно фундаментальным основам Фэн-Шуй, этот магический восьмиугольник мы можем накладывать на план нашего дома, квартиры и даже отдельной комнаты. Таким образом мы определяем, где находятся те или иные сектора Багуа, что они означают и как активизировать соответствующие сектора для достижения наших целей.

КОМПАСНАЯ ШКОЛА ФЭН-ШУЙ

Чтобы избежать путаницы, хочу сразу предупредить, что в Фэн-Шуй существуют разные школы. Одна из весьма распространенных рекомендует накладывать Багуа таким образом, чтобы главный вход всегда совпадал с севером. Не надо это делать! Многие люди, самостоятельно практикующие Фэн-Шуй, испытывают большие трудности именно из-за этого разночтения в разных книгах.

Мой замечательный учитель Мастер Яп Чен Хай достиг прекрасных результатов в применении компасной школы Фэн-Шуй. Достоинством этой школы я считаю гармоничное совпадение компасных направлений сторон света в Багуа и реальных компасных направлений вашего дома.

Для того чтобы определить, где находится та или иная зона вашего дома, вам понадобятся компас, план квартиры или дома в масштабе и сетка Багуа (табл. 1).

Таблица 1. Девять жизненных аспектов

Богатство Юго-восток	**Слава** Юг	**Любовь. Брак** Юго-запад
Семья Восток	**Здоровье** Центр	**Дети. Творчество** Запад
Мудрость. Знания Северо-восток	**Карьера** Север	**Помощники. Путешествия** Северо-запад

1. Определите по компасу, где находится север.
2. Разделите план квартиры (дома) на девять равных частей.
3. Совместите компасный север с севером на плане. Вы окажетесь в секторе Карьеры. Напротив, то есть на юге, находится сектор Славы (таково его официальное название, но данный сектор отвечает также за жизненный успех, достижение популярности и продвижение вверх по социальной лестнице).

Поздравляю, вы только что определили тот самый сектор в своей квартире, который поможет вам в ваших честолюбивых устремлениях. Вы сможете не только укрепить свою репутацию на работе, но и достичь известности или даже славы на своем поприще (если вы к этому стремитесь).

Помимо этого после правильно проведенной активизации южного сектора ваша жизнь может улучшиться следующим образом:

— бизнес расширится, что автоматически принесет больше денег;

— у вас появятся силы взяться за то дело, за которое вы всегда хотели взяться, но чего-то опасались;

— ваша хорошая репутация будет укрепляться;

— вы достигнете известности;

— вы будете получать поддержку даже от тех, кто раньше не доверял вам.

АКТИВИЗИРУЕМ ЖИЗНЕННЫЕ АСПЕКТЫ

Слава

Юг. Элемент – Огонь. Цвет – красный.

Этот сектор дома поддерживает вас как личность, помогает добиться успеха и признания в обществе. Работая над ним, вы можете добиться славы и успеха быстрее и эффективнее. Традиционный активатор зоны Славы – ваши дипломы и награды, а также все стремящиеся вверх предметы. Особенно благоприятными считаются павлиньи перья – они привлекают потенциальные возможности. За неимением павлиньих перьев можно использовать голубиные (а вот насчет куриных – сомневаюсь, курица ведь все-таки не птица...).

На юге доминирует красный цвет, поэтому если в вашем южном секторе висит картина, изображающая Ниагарский водопад, вряд ли вам удастся многого добиться в жизни, – вода гасит огонь! То есть элемент, отвечающий за ваш успех, в данном случае страдает. Хотя справедливости ради надо добавить, что чуть-чуть воды не помешает, если на юге у вас расположен мощный источник огня, например камин. Огонь и вода рождают пар – движущий вид энергии. Надо научиться оперировать такими абстрактными понятиями для успешного применения Фэн-Шуй в жизни.

Богатство

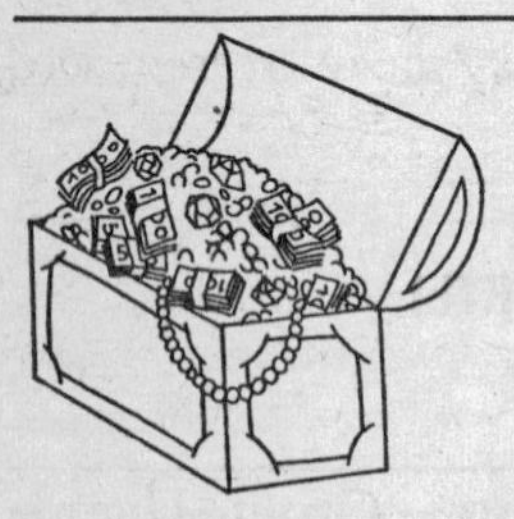

Юго-восток. Элемент – Дерево. Цвет – зеленый, лиловый.

Этот сектор отвечает за богатство и все, что с ним связано, в том числе и власть. Активизируйте этот сектор, и вы будете иметь все, чего пожелаете. Поставьте здесь фонтанчик, аквариум с золотыми рыбками, цветок с круглыми листьями, подумайте о хорошем освещении этой зоны. Для роста дерева нужен свет! А если растет дерево, значит, растут и ваши денежки.

Любовь. Брак

Юго-запад. Элемент – Земля. Цвет – розовый, красный и все оттенки земли.

Этот сектор поможет, если вам надо привлечь в свою жизнь любовь. Для гармонии ваших взаимоотношений рекомендую внимательно следить за тем, чтобы здесь всегда было чисто. В случае «застойных» взаимоотношений почаще разбирайте этот сектор и никогда не храните в этом секторе фотографии, изображающие вас с возлюбленными из прошлого! Это мешает прийти в вашу жизнь новому чувству.

Лучше всего разместить здесь две красных свечи. Хороши будут парные предметы: две вазочки, пара подушек, два подсвечника и т. д. Уместны в этом секторе все символы любви и романтики – сердечки, шоколадные конфеты, картины с изображением счастливых пар.

Внимание женщин, стремящихся найти себе пару! Никогда не вешайте здесь картины с изображением одиноких женщин! Такие картины несут исключительно иньскую энергию и вызывают противоположный эффект – женщина остается одинокой. Привлекайте в вашу жизнь романтику, используя многовековую мудрость Фэн-Шуй, и вешайте на стену изображения мужчины и женщины вместе!

Дети. Творчество

Запад. Элемент – Металл. Цвет – белый, металлический, золотой и серебряный.

Все, что имеет отношение к детям (вашим, чужим, будущим и настоящим), представлено в этом секторе. Если вы человек творческой профессии, то этот сектор тоже для вас.

Очень хороши здесь детские фотографии и выставка детских рисунков.

Помощники, Наставники. Удачные путешествия

Северо-запад. Элемент – Металл. Цвет – белый, металлический, золотой и серебряный.

Это сектор патриарха в доме, влияющий на хозяина дома. Его правильная активизация помогает получать помощь из самых неожиданных источников. Здесь хорошо расположить портреты людей, которых вы считаете вашими наставниками.

Чудеса способен творить в этом секторе металлический колокольчик. Часто бывает достаточно позвонить в него с просьбой о помощи – и помощь обязательно придет оттуда, откуда вы ее совсем не ожидали.

Этот сектор дома также отвечает за путешествия. Если вы давно мечтаете о кругосветном путешествии, развесьте здесь заманчивые виды далеких экзотических стран и можете быть уверены – вы там окажетесь!

Карьера. Жизненный путь

Север. Элемент – Вода. Цвет – черный, синий, голубой.

Все, что имеет отношение к вашей работе, карьере, – все представлено в этом секторе. Расчистка завалов здесь подарит вам ясное видение своего жизненного пути и перспективы. Традиционный способ активизации этой зоны – помещение здесь черепахи и любых предметов, связанных с водой, например фонтанчика или аквариума. Многим помогает размещение в этом секторе металла. Это могут быть китайские монетки, «Музыка ветра», а также металлическая чаша с водой. В цикле порождения элементов Металл порождает Воду, и таким образом восстанавливается гармония элементов.

Мудрость. Знания

Северо-восток. Элемент – Земля. Цвет – бежевый и все оттенки коричневого.

Активизация этого сектора помогает достичь успехов в обучении и сохранять полученные знания. Работа с этой зоной поможет вам стать более мудрыми, а значит, разумнее использовать полученные средства. Царь Соломон на вопрос Господа, что он хочет, ответил: «Мудрости». Он был совершенно прав – ибо мудрый будет иметь все, в том числе и деньги.

Семья. Истоки

Восток. Элемент – Дерево. Цвет – зеленый.

Семейные дела, взаимоотношения родителей и детей, бабушек и внуков – все представлено в этом секторе. Внимательно ухаживая за ним, вы можете существенно улучшить климат в семье и даже помочь прибавлению семейства! Для символического процветания вашей семьи на востоке хорошо иметь «семейное» дерево. Следите за его здоровьем и хорошим внешним видом, так как это растение действительно представляет здоровую семью и ее рост.

Считается также, что этот сектор «подпитывает» энергией соседний сектор Богатства. Зона семьи «ответственна» за средства первой необходимости: деньги на квартплату, питание, обучение и одежду. Следите за чистотой в этой зоне. Живые растения и хорошее освещение принесут необходимую жизненную силу вашей семье.

Здоровье

Центр. Элемент – Земля. Цвет – терракотовый.

Центр Багуа отвечает за здоровье. Он соприкасается со всеми остальными секторами. И в самом деле: если нет здоровья, то нет радости ни от чего, в том числе и от богатства. Центр дома должен быть чистым и хорошо освещенным.

Фэн-Шуй рекомендует активизировать центр дома большой хрустальной люстрой. Это принесет вам огромную удачу. Следите за тем, чтобы центр всегда был хорошо освещен. Считается благоприятным присутствие здесь всевозможных забавных вещичек, юмористических открыток и картинок, так как смех – лучшее лекарство.

Я думаю, проанализировав все эти девять секторов, вы согласитесь со мной, что в доме незначимых участков вообще нет. Каждый сектор «отвечает» за что-нибудь важное в жизни. Именно поэтому так необходимо внимательно относиться к завалам в доме и, используя наши замечательные знания, активизировать соответствующие зоны для получения конкретных результатов.

Глава 5

КАК ХОРОШО БЫТЬ ГЕНЕРАЛОМ... БУДУ Я ТОЧНО ГЕНЕРАЛОМ!

Теперь, когда вы определили местоположение зоны Славы в вашей квартире, приглядитесь к ней. Что там находится? Нет ли там завалов, мусора, ненужных предметов? Если есть, то, пожалуйста, выбросите их.

Затем определите, нет ли в этой зоне объектов, представляющих воду. Избавьтесь от них. Имейте в виду, что черный и синий цвета символизируют воду, так что они тоже не к месту на юге. Зеркала – это также вода, следовательно, и их долой.

Зона Славы должна представлять все то, чего вы хотите достичь в жизни. Поэтому если на южной стене у вас висит изображение грустного Пьеро, вряд ли вас ожидает блестящая карьера.

ОБЪЕКТЫ, АКТИВИЗИРУЮЩИЕ ЗОНУ СЛАВЫ

Все красное – свечи, картины, ковры. У меня в секторе Славы находится ярко-красное боа, которым заботливо укутана моя фотография. Слава окружает меня. Символизм!

Треугольные объекты. Треугольная форма символизирует огонь и стремление вверх, поэтому поставь-

те сюда несколько пирамидок из тех, что в изобилии продаются сейчас в сувенирных лавочках. Кстати, такая пирамидка, поставленная прямо перед вами на рабочем столе, приведет вас к непременному успеху.

Дерево. Дерево питает огонь. Добавьте дерево, чтобы подпитать огонь вашего успеха, и вы будете удивлены результатами.

Предметы зеленого цвета и растения. Зеленый – цвет дерева, и он очень хорошо сочетается с красным, питая ваш успех.

Камин. Ничего не может быть лучше настоящего камина в секторе Славы. Если вы планируете строить дом, то постарайтесь устроить камин именно на юге. Тогда огонь вашей славы будет гореть всегда. Единственное пожелание, чтобы камин был действующий и регулярно прочищался.

ЛИЧНЫЙ СПИСОК ЖЕЛАНИЙ

Здесь у вас необъятное поле для применения фантазии. Замечательно работает такой простой метод. Купите набор цветной бумаги (это очень полезная вещь, так как все элементы имеют свой цвет) и нарежьте красные треугольнички. На этих треугольничках, расположенных вершиной вверх, запишите, чего вы хотите достичь в жизни, в настоящем времени, не скупясь на прилагательные, например: «Света – талантливый психолог, авторитетный педагог» или «Александр – выдающийся пианист, известный во всем мире».

Наклейте под надписью собственную фотографию с радостным лицом и установите свое произведение в южном секторе. Вы не представляете, сколько новых клиентов и возможностей для работы мне удалось привлечь таким образом! Пока я хранила свои дипломы в шкафу, видимых результатов не было. Но стоило повесить их вместе с красными треугольничками на южной стене, как я начала получать одно предложение за другим – ни одной минуты нет, чтобы я не делала что-то по Фэн-Шуй для своих клиентов. Да и слава моя, можно честно сказать, растет с каждым днем.

РИТУАЛ ПО ПРИВЛЕЧЕНИЮ ЭНЕРГИИ УСПЕХА И ПОПУЛЯРНОСТИ

А теперь полезный совет для тех, кто мечтает о настоящей славе на поприще искусства, политики, эстрады. Например, вы хотите быть известным актером. Нарисуйте на листе ватмана (размером примерно 20 × 30 см) театральную сцену. Затем аккуратно вырежьте пустой квадрат. У вас в руках окажется рамочка, изображающая сцену и кулисы.

Закрепите ее на зеркале, в которое вы смотритесь ежедневно, таким образом, чтобы ваше лицо находилось в этой рамочке, в театре (это может быть телеэкран, если он вам больше нравится). Каждый раз, глядя в зеркало и видя себя на сцене или на экране, произносите такую аффирмацию: «Я знаменитый актер (актриса). Я блистательно выполняю свою работу. Моя популярность растет с каждым днем».

Еще одна маленькая хитрость. Можно наклеить свою фотографию на журнал, который обычно печатает информацию о знаменитостях, и держать его на журнальном столике. Пусть ваши гости думают, что им угодно. Главное – ваше подсознание привыкает к мысли, что вы имеете серьезные намерения прославиться.

Глава 6
НАМЕРЕНИЕ, НАМЕРЕНИЕ И ЕЩЕ РАЗ НАМЕРЕНИЕ

Желание открывает врата возможностям

Настало время соединить силу Фэн-Шуй с силой намерения и желания.

Наибольшего эффекта можно добиться, имея сильное, но «расслабленное» желание. Звучит немного странно, но смысл здесь в том, что Космос не любит слишком сильного напряжения. Существует даже понятие Наименьшего Усилия. Надо потренироваться, чтобы научиться отпускать от себя желание и намерение и твердо знать, что в нужное время и в нужном месте все исполнится. В целом веселые, жизнерадостные люди, умеющие щедро делиться с окружающими, и получают все то, что они хотят, гораздо легче. А те, кто все время завидует другим и старается «урвать» от жизни, в итоге разочаровываются и оказываются в сложных финансовых ситуациях. Давайте другим, и Вселенная не замедлит дать вам еще больше!

Помните, как в первой части мы с вами записывали наше самое заветное желание в красивом блокноте? Теперь пришло время поместить его в южном секторе вашей квартиры. Вы знаете, иногда потрясающий результат дает простое написание слов «Признание, успех, удача, слава». Вы уже довольно просвещенные в Фэн-Шуй люди и понимаете, что лучше всего написать эти замечательные слова на красной бумаге и с чувством исполненного долга положить где-нибудь в секторе Славы, то есть на юге. Теперь спокойно «отпустите» свое желание во Вселенную с убеждением, что вас услышали и работа по выполнению вашего заказа уже закипела.

Если в вашем доме в южном секторе находится ванная комната или туалет, то есть элемент огня страдает, попробуйте гармонизировать энергии при помощи «локального» круга порождения элементов, помещенного в южном секторе гостиной или любой другой комнаты.

Для этого вспомните, пожалуйста, созидательный круг элементов и переведите его из мира абстрактного в мир реальный, физический. Да-да, вам придет-

ся воссоздать этот магический круг бесконечно созидающих самих себя элементов для того, чтобы «сдвинуть» процесс с мертвой точки. Итак, соберите представителей всех пяти элементов и постарайтесь, используя свои таланты и фантазию, выстроить их по кругу созидания. Например, освободите место где-нибудь на тумбочке и творите в свое удовольствие и на пользу всей семьи.

Итак, Дерево (веточка или корешок, деревянная рамочка и т. д.) питает Огонь (красная свечка подойдет лучше всего), который рождает Землю (камешки или глиняный горшок), она рождает Металл (колокольчик, монетки), тот рождает воду (стакан с водой, стеклянная вазочка), которая питает Дерево. Все, круг замкнулся. Некоторые люди утверждают, что просто физически ощущают гармоничное движение элементов после выполнения этого упражнения.

Поместите вашу вечно движущуюся композицию в южный сектор квартиры или гостиной для активизации Славы и Успеха. Сопроводив это действие еще и соответствующей аффирмацией, можете не сомневаться, что скоро вы добьетесь желанного результата и признания.

Безусловно, это замечательное средство вы можете использовать и во всех других секторах дома, нуждающихся в подпитке энергией.

Глава 7

СКАЖИ МНЕ, КАКОЕ У ТЕБЯ ЧИСЛО ГУА, И Я СКАЖУ, КТО ТЫ!

Тончайшее из тончайших – это врата ко всем загадкам.

Лао-цзы

Один из главных секретов Фэн-Шуй – это умение различать благотворные и разрушительные энергии. Соответственно благотворные мы улучшаем и активизируем, а разрушительные преобразуем или избегаем их.

Знание личного числа Гуа позволяет человеку использовать магнитные силы нашей матушки-Земли для достижения своих целей, в том числе и материального успеха. Этим волшебным ключом мы откроем двери, ведущие в невидимые, но могущественные сферы энергий, связанных с магнитными полями. Известно, что эти силы влияют на всех по-разному. Существуют очень благоприятные направления, но есть и весьма опасные. Вот для того чтобы узнать, как именно на вас действуют те или иные компасные направления, мы и займемся сейчас математикой.

Для вычисления числа Гуа важно запомнить, что китайский лунный год всегда начинается с 4 или 5 февраля. Поэтому для человека, рожденного 15 января 1958 года, надо считать число Гуа исходя из 1957 года. Будьте внимательны!

ОПРЕДЕЛЕНИЕ ЧИСЛА ГУА ДЛЯ ЖЕНЩИН

Возьмите свой лунный год рождения, сложите две последние цифры и сведите их к одной. Добавьте к результату цифру 5. Опять сведите к одной цифре. Полученная сумма будет искомым числом Гуа.

Пример № 1
Год рождения – 1968
6 + 8 = 14
1 + 4 = 5
5 + 5 = 10 = 1
Число Гуа – 1

Пример № 2
Год рождения – 1956
5 + 6 = 11
1 + 1 = 2
2 + 5 = 7
Число Гуа – 7

Пример № 3
Год рождения – 1999
9 + 9 = 18
1 + 8 = 9
9 + 5 = 14 = 5
Число Гуа – 8 *

Определение числа Гуа для девочек, рожденных начиная с 2000 года

К результату сложения последних чисел года рождения прибавлять не 5, а 6.

Пример № 1
Год рождения – 2001
0 + 1 = 1
1 + 6 = 7
Число Гуа – 7

---

* Если окончательный результат получается 5, то у женщин число Гуа равно 8.

Пример № 2
Год рождения – 2002
0 + 2 = 2
2 + 6 = 8
Число Гуа – 8

ОПРЕДЕЛЕНИЕ ЧИСЛА ГУА ДЛЯ МУЖЧИН

Сложите две последних цифры лунного года рождения и сведите их к одной цифре. Полученный результат отнимите от 10.

Пример № 1
Год рождения – 1967
6 + 7 = 13
1 + 3 = 4
10 – 4 = 6
Число Гуа – 6

Пример № 2
Год рождения – 1935
3 + 5 = 8
10 – 8 = 2
Число Гуа – 2

Пример № 3
Год рождения – 1932
3 + 2 = 5
10 – 5 = 5
Число Гуа – 2*

Определение числа Гуа для мальчиков, рожденных начиная с 2000 года

В этом случае цифру, полученную путем сложения двух последних цифр года рождения, следует вычитать из 9.

---

* Если окончательный результат получается 5, то у мужчин число Гуа равно 2.

Пример № 1
Год рождения – 2003
0 + 3 = 3
9 – 3 = 6
Число Гуа – 6

Пример № 2
Год рождения – 2000
9 – 0 = 9
Число Гуа – 9

Прежде чем использовать число Гуа в достижении богатства, определите по таблице 2, к какой группе людей – западной или восточной – вы относитесь.

Таблица 2. Западная и восточная группы людей

ВОСТОЧНАЯ ГРУППА

1	3	4	9
Вода	Большое дерево	Малое дерево	Огонь

ЗАПАДНАЯ ГРУППА

2	6	7	8
Большая земля	Большой металл	Малый металл	Земля

Таблицы 3 и 4 дадут вам возможность определить ваши благоприятные и неблагоприятные направления, которые следует учитывать в повседневной жизни (и в квартире, и в офисе, и в саду, и в ресторане, и на деловых переговорах).

Таблица 3. Благоприятные направления

Число Гуа	Наилучший источник Ци	Небесный доктор	Гармония в браке	Личное развитие
ВОСТОЧНАЯ ГРУППА				
1	Юго-восток	Восток	Юг	Север
3	Юг	Север	Юго-восток	Восток
4	Север	Юг	Восток	Юго-восток
9	Восток	Юго-восток	Север	Юг
ЗАПАДНАЯ ГРУППА				
2	Северо-восток	Запад	Северо-запад	Юго-запад
6	Запад	Северо-восток	Юго-запад	Северо-запад
7	Северо-запад	Юго-запад	Северо-восток	Запад
8	Юго-запад	Северо-запад	Запад	Северо-восток

Пример № 1

Ваше число Гуа – 9. Вы принадлежите к восточной группе. Ваша стихия – Огонь. Ваше лучшее направление (наилучший источник Ци) – восток, Небесный доктор – юго-восток, Романтическая удача (гармония в браке) – север, Личное развитие – юг.

Пример № 2

Ваше число Гуа – 8. Вы принадлежите к западной группе. Ваша стихия – Земля. Ваше лучшее направление – юго-запад, Небесный доктор – северо-запад, Романтическая удача – запад, Личное развитие – северо-восток.

Таблица 4. Неблагоприятные направления

Число Гуа	Полный крах	Шесть убийц	Пять духов	Неудачи
ВОСТОЧНАЯ ГРУППА				
1	Юго-запад	Северо-запад	Северо-восток	Запад
3	Запад	Северо-восток	Северо-запад	Юго-запад
4	Северо-восток	Запад	Юго-запад	Северо-запад
9	Северо-запад	Юго-запад	Запад	Северо-восток
ЗАПАДНАЯ ГРУППА				
2	Север	Юг	Юго-восток	Восток
6	Юг	Север	Восток	Юго-восток
7	Восток	Юго-восток	Юг	Север
8	Юго-восток	Восток	Север	Юг

Пример

Ваше число Гуа – 1. Худшее для вас направление (полный крах) – юго-запад, Шесть убийц – северо-запад, Пять духов – северо-восток, Неудачи – запад.

Итак, вам осталось только купить два компаса – один большой, второй поменьше – и постоянно ориентироваться в пространстве, учитывая, что определенные стороны света действуют на вас очень по-разному.

Все благоприятные и неблагоприятные направления неодинаковы по своему характеру и силе воздействия. Давайте познакомимся с ними поближе.

БЛАГОПРИЯТНЫЕ НАПРАВЛЕНИЯ

1. Наилучшее направление. Источник Ци. Шен-Ци

Это самое мощное благотворное направление, напрямую связанное с источником жизни, денег и всевозможной удачи. Использование этого направления может принести вам славу, деньги, власть, положение в обществе и авторитет. Запомните это направление и старайтесь использовать его как можно чаще.

2. Небесный доктор. Тьен-И

Как видно из названия, это направление «отвечает» за ваше хорошее здоровье. Если вы или члены вашей семьи больны, то поможет Небесный доктор. Для его активизации надо развернуть в данном направлении кровать и плиту, принимать лекарства, смотря туда же. Помимо оздоровительных функций

это направление может принести вам удачу и благосостояние на уровне среднего класса. Если вы не стремитесь к пресыщению, то приставайте к тихой гавани Тьен-И.

3. Гармония в браке. Ньен-Янь

Если ваше одинокое сердце мечтает о надежном друге, если появляются проблемы в семье и во взаимоотношениях с детьми, то третье благоприятное направление – Ньен-Янь – как раз то, которое надо использовать в своих целях. Китайские тексты учат, что именно в направлении Ньен-Янь мужа должно быть ориентировано изголовье кровати, когда планируется зачатие ребенка.

4. Направление личного развития. Фу-Вей

Это направление просто незаменимо для школьников, студентов и людей интеллектуального труда. Его активизация поможет вам достичь профессиональных успехов и повысить квалификацию. Однако следует помнить, что с точки зрения богатства это направление самое слабое из четырех. Оно обеспечивает лишь более или менее достойную жизнь. Поэтому, если ваша цель – деньги, не забывайте о своем наилучшем направлении – Источник Ци.

НЕБЛАГОПРИЯТНЫЕ НАПРАВЛЕНИЯ

1. Направление тотального краха. Цзьюе-Минг

Даже не знаю, что и добавить, кажется, название этого направления говорит само за себя. Избегайте этого направления во что бы то ни стало (например, остерегайтесь сидеть лицом в этом направлении во время еды и важных встреч). Пренебрежение этим правилом может стоить вам очень дорого.

2. Шесть убийц. Луи-Ша

Второе по «вредности» направление. Болезни, юридические проблемы, агрессия со стороны государства, непреодолимые трудности в бизнесе могут преследовать людей, которые смотрят в этом направлении при переговорах, заключении важных сделок. В эту сторону света не должна быть ориентирована входная дверь в доме.

3. Пять духов. Ву-Гвей

Расположение входной двери и важных комнат в этом направлении может принести предательство, тяжбы, ссоры и скандалы, пожары и ограбления.

4. Неудачи. Хо-Хай

Это самое слабое из четырех неудачных направлений. Следование ему может принести мелкие неприятности, досадные недоразумения, небольшие потери и нелады со здоровьем – ничего рокового. И все же советую избегать его: «Береженого Бог бережет», не так ли?

Глава 8
ПРИМЕНЕНИЕ НАПРАВЛЕНИЙ ДЛЯ ПРИВЛЕЧЕНИЯ ЭНЕРГИЙ УСПЕХА

Если вы попытаетесь все понять, вы не поймете ничего. Лучший путь — понять себя, и тогда вы поймете все.

Сунрю Судзуки

Мой учитель Яп Чен Хай полушутя-полусерьезно говорил, что тот, кто хочет стать миллиардером, должен спать, есть, расположить входную дверь и кухонную плиту в лучшем направлении Шен-Ци. Тому, кто выработает привычку всегда разворачиваться туда лицом, финансовое благополучие обеспечено! В этом случае внутренняя энергия Ци человека будет гармонично сочетаться с силой магнитных направлений Земли.

Кровать

Изголовье вашей кровати должно быть обращено к вашему лучшему направлению. Попытавшись следовать этому правилу, вы наверняка столкнетесь с трудностями. Особенно сложно использовать свои лучшие направления людям западной группы, так как направления эти в основном промежуточные (юго-запад, северо-восток и т. д.). А расположить кровать по диагонали в тесной спальне – задача не из простых.

Не отчаивайтесь. Здесь возможны компромиссы: если у вас нет возможности расположить кровать в лучшем направлении, ложитесь на нее чуть-чуть по диагонали, чтобы хоть немного приблизиться к своему источнику Ци. Если и это сделать невозможно, расположите кровать в одном из трех оставшихся благоприятных направлений.

Еда

Возьмите за правило принимать пищу, развернувшись лицом к вашему Шен-Ци. Тогда во время еды вы будете получать не только белки и углеводы, но и ценнейшую благотворную энергию, которая принесет вам удачу, изобилие и успех. Ради этого стоит носить с собой карманный компас. Пусть дома за обеденным столом у вас будет свое, лучшее для вас место!

У меня уже выработалась совершенно автоматическая привычка садиться самой и рассаживать членов моей семьи в соответствии с лучшими для каждого компасными направлениями. Это дает мне уверенность в том, что я сама и все мои близкие получают пищу из наиболее благоприятных направлений. С тех пор как я стала следовать этому правилу, здоровье всех членов моей семьи значительно улучшилось, а благоприятных возможностей появилось столько, что еле хватает времени, чтобы их все реализовать!

Входная дверь

Фэн-Шуй очень трепетно относится к входной двери в дом. Она должна быть всегда чистой и хорошо освещенной. Вам повезло, если дверь расположена хотя бы в одном из ваших благоприятных направлений. Вы должны выходить из дома в вашем благоприятном направлении. Если это не так, дверь нужно перевесить, соорудив небольшой тамбур внутри или снаружи квартиры.

Кухонная плита

Еще один важный фактор для достижения счастья, успеха и изобилия – установка в «правильном» направлении кухонной плиты. Ваша пища должна готовиться с учетом позитивных компасных направлений. Пожалуйста, будьте внимательны, определяя направление плиты. Убедитесь, что ее ручки расположены в благоприятном направлении. Если муж и жена принадлежат к разным группам и оба работают, рекомендую приобрести разные электроприборы – чайники, электрогрили, тостеры – и расположить их так, чтобы все члены семьи могли получать пользу от хороших направлений. Еще раз уточняю, что именно ручки управления электроприборами

должны быть расположены в благоприятных для вас направлениях.

Чтобы повысить эффективность знания и использования силы направлений, разделите план вашего дома на девять равных квадратов (Багуа) и определите, где находятся компасные сектора. Например, если вы спите головой в вашем лучшем направлении да при этом еще и в секторе, совпадающем с этим направлением, то польза будет двойной.

Анализируя расположение благоприятных и неблагоприятных секторов в квартире, имейте в виду, что нейтрализовать действие «плохих» секторов можно, если расположить там ванную комнату, туалет или кухню. Расположенные в благоприятных секторах, эти помещения «отсасывают» полезную энергию. Старайтесь максимально использовать ваши благоприятные направления.

Ко мне обратились родственники молодого бизнесмена, который, несмотря на постоянный труд и усилия, никак не мог добиться успеха. Все сделки проваливались. Все его труды как будто наталкивались на невидимую стену и он уже был близок к депрессии. Во время моей консультации выяснилось, что он спал в секторе тотального краха, а его кухня и плита, наоборот, попадали в самый лучший сектор, подавляя полностью его денежную удачу. Мы договорились, что он перестанет использовать вообще свою плиту, благо он жил один. Он купил электрический чайник, гриль, электрические плитки и перенес все это в один из неблагоприятных секторов, где и стал готовить. В итоге плита перестала «жечь» его денежную удачу. Кровать мы тоже переставили. Через пару месяцев он мне позвонил и сообщил, что один из его проектов наконец-то удался и принес ощутимую выгоду.

Иногда приходится поступиться небольшим удобством, чтобы получить желанный результат.

Я прекрасно понимаю, что на первый взгляд все эти направления и сектора кажутся чем-то невероятно запутанным и сложным для восприятия. Но это только на первый взгляд! Уверяю вас, когда вы научитесь определять компасные направления и использовать благоприятные, все будет значительно проще. Польза от этих навыков несомненна. Вы можете быть уверены, что вам помогает сама матушка-Земля в достижении ваших жизненных целей. И еще. Помните, в начале раздела о Фэн-Шуй я рассказывала вам о важности Человеческой удачи? Так вот, именно от вас теперь зависит, как вы используете полученные знания. Выбор за вами!

Глава 9
ФЭН-ШУЙ ДАРИТ УВЕРЕННОСТЬ В СВОИХ СИЛАХ

Найдите себе такое занятие, которое вам по душе, и сделайте так, чтобы оно приносило вам доход.

Итак, друзья мои, вы уже знаете очень много и даже сделали важнейшие шаги по направлению к успеху и процветанию. Почему? Да потому, что вы этого хотите! И не просто хотите, а еще и читаете специальную литературу. Желание человека открывает дверь возможностям!

Чем сильнее вы жаждете перемен, тем больше изменений будет в вашей жизни. Если вы обладаете спокойным характером и вас удовлетворяет неспешный ход событий, двигайтесь постепенно. Шаг за шагом, день за днем приведут вас к желанному результату.

Честно говоря, я даже и не ожидала, насколько резко изменится моя жизнь, когда, засучив рукава, проводила все необходимые изменения по Фэн-Шуй. Я хотела всего и много и, в общем, это и получила. У меня даже возникает ощущение, что теперь процесс идет без моего участия, то есть я его только направляю.

Если вы смелы и решительны, жаждете резких изменений и не боитесь, что они поколеблют ваш спокойный образ жизни, тогда к вашим услугам еще одно средство – соединение материальных Фэн-Шуй-перестановок с позитивными аффирмациями, направленными на конкретные зоны в вашем доме.

В ваших руках мощное оружие – энергия намерения и знание того, как через материальное окружение можно воздействовать на материальный и нематериальный мир. Однако чтобы грамотно пользоваться им, очень важно знать правила «техники безопасности» Фэн-Шуй. Вот они.

1. Не беритесь изменять все сразу

Это означает, что вам надо определить, какая часть жизни нуждается в улучшении, и начинать именно с нее. Поскольку в данном случае наша цель – достижение успеха, начинайте скандировать: «Сила, богатство, удача, успех» в южном секторе квартиры или, для пущего эффекта, в вашем лучшем направлении.

2. Если это не ломалось, то не надо это чинить

Случается, что человек, вдохновленный лучезарными перспективами, бросается вносить изменения в той зоне, где у него и так все хорошо. Это может нарушить гармонию, и результат окажется обратным. Поэтому если вас и так все устраивает, допустим, в карьере, то лучшей рекомендацией будет просто разобрать завальчики в зоне карьеры и не вносить туда ничего нового. Тем самым вы освободите потенциальную энергию для стимуляции вашей карьеры без всяких значительных изменений.

3. Никогда, никогда, никогда не используйте Фэн-Шуй с недобрыми намерениями и не пытайтесь манипулировать людьми

Все, что мы отдаем, возвращается к нам многократно умноженным! Помните об этом. Даже когда вы устанавливаете зеркало Багуа над дверью, следите, чтобы оно не наносило вред вашим соседям. Если вы «боретесь» с чем-то и в поле вашей борьбы попадает соседская дверь – будет лучше вместо зеркала Багуа повесить «Музыку ветра». Она абсолютно безвредна.

Мой опыт показывает, что соединение символов удачи Фэн-Шуй с сильным сознательным намерением дает превосходные результаты! Это позволяет воздействовать не только на мир материальный, но и на мир тонкий, подсознательный.

Когда вы очищаете от завалов какую-либо зону Багуа в квартире, а затем активизируете ее, повторяйте про себя или вслух или даже пойте подходящие случаю аффирмации. Тогда уже Вселенная будет совершенно точно знать, что вам надо. Заказ будет принят.

Вы можете повторять эти аффирмации по очереди или отдельно. Считается, что наиболее гармонично повторение аффирмаций количество раз, кратным трем: три, шесть, девять, двенадцать и так далее.

В этой книге я описала множество практик и рекомендаций. Какая из них больше всего подойдет именно вам – покажет время. Не спешите, не суетитесь, но и не откладывайте использование новых знаний. Если к вам пришло знание – значит, вы готовы его принять. Недаром китайцы говорят: «Когда ученик готов, тогда приходит учитель».

Фэн-Шуй безусловно работает. Но поскольку все люди разные, то и работает он для всех по-разному. Я сама, мои друзья и последователи являемся живым примером того, что при внимательном применении и страстном желании перемен Фэн-Шуй помогает! Фэн-Шуй работает как световой луч, который позволяет вам увидеть перспективу в жизни и избавиться от тьмы незнания и бедности. Каждому он приносит что-то свое. Но самое главное – Фэн-Шуй дарит уверенность в своих силах и счастье.

Практика Фэн-Шуй приносит восхитительное ощущение радости и полноты жизни.

Недавно я была участницей первого в истории международного конгресса по Фэн-Шуй в Германии, в Кельне. Туда съехались мастера Фэн-Шуй со всего мира. Достаточно назвать такие имена, как Ева Вонг, Рэймонд Ло, Дерек Уолтерс, Джосеф Йо, Ларри Сэнг и, конечно, мой драгоценный Гранд Мастер Яп Чен Хай.

Знаете, что произвело на меня самое яркое впечатление? Совершенно потрясающее ощущение веселья, искрометного юмора и оптимизма, которое испытываешь от общения с этими авторитетнейшими представителями мастерства Фэн-Шуй! На мой

взгляд, это лучший аргумент в пользу Фэн-Шуй. Это то знание, которое приносит счастье, друзья мои. Изучайте Фэн-Шуй, применяйте его. Знакомьтесь с разными школами, будьте гибкими и восприимчивыми, и вы обязательно насладитесь чудесными дарами жизни!

Во время семинара Яп Чен Хай сказал: «Неважно, какая кошка поймает мышку – белая или черная. Та, которая поймает, и будет хорошей кошкой».

Используйте разные подходы, наслаждайтесь творчеством, ничего не бойтесь, и у вас все получится!

Только не ждите мгновенных результатов, хотя мне известны случаи улучшения ситуации в тот же день после перестановки мебели! Многие мастера рекомендуют сделать перестановку или активацию в пространстве и как бы «забыть» об этом на время, и тогда результат проявится очень скоро.

Многие скептики говорят, что и без Фэн-Шуй все бы получилось. Вы знаете, я никогда не спорю, так как Дао учит нас, что знающий истину никогда не спорит. Но я знаю точно, что с Фэн-Шуй все получится обязательно!

УВЕРЕННОСТЬ В УСПЕХЕ (вместо заключения)

Спасибо вам, дорогие мои, что вы дочитали эту книгу до конца. Мне бы очень хотелось, чтобы вы прониклись ощущением чуда и волшебства жизни, которому надо просто позволить войти.

Три аспекта, которые мы рассмотрели с вами: Новое сознание, любовь к себе и людям и Фэн-Шуй, — дают практикующему огромную силу. Силу совершенствовать и преобразовывать свой мир. Помните, что даже всемогущая карма становится не наказанием, а радостью, когда мы начинаем свободно дышать в свете Божественной любви и постоянно увеличивающегося счастья.

Добрая, бесконечно любящая Божественная сила создала нас для радости, успеха, изобилия и духовного роста. Доверьтесь этой силе, поверьте в себя. Отбросьте все мысли о недостатке, ограничениях и наказаниях за счастье жить. Страдание не очищает, очищают радость, смех и любовь. Человек, отбросивший страхи, чувство вины и сомнения, становится неуязвим.

Я думаю, что вы уже осознаете свою силу. Я верю в это. И я выбираю сказочно прекрасную жизнь, наполненную изобилием всевозможных благ, любви и восторга для себя, для вас и для всей планеты.

В заключение предлагаю вам прочитать энергетический настрой, который позволит вам вводить в действие творческие силы Вселенной.

Медитация Ангела Успеха: энергетический настрой для привлечения творческих сил Вселенной

Мы всегда едины с Богом, поэтому мне принадлежит целая Вселенная по праву наследования.

Моя работа проникнута любовью, поэтому все, что я делаю, приводит к блистательной победе.

Моя сила состоит в безоговорочном доверии Божественной любви, и все двери распахиваются перед этой силой.

Когда я делаю то, что люблю, я делаю это легко и радостно, и Небеса вознаграждают меня своими сокровищами.

Все мои желания и намерения зародились в тайниках моего сердца и с любовью благословлены Небесами.

Я наслаждаюсь полнотой неограниченного успеха, так как Я Есмь дух Высшего Процветания.

Я Есмь дух Завершенности и Успеха, поэтому все мои начинания благословенны и любое дело в моей жизни выражает мое самое высокое представление о самом(й) себе.

Мой путь приводит меня к наслаждению Победой, Красотой, Гармонией, Силой и Успехом, так как это именно то, во что я выбираю верить.

И это так, а будет еще лучше, ибо нет предела совершенству.

Спасибо вам, и да пребудут с вами Сила и Успех.

**Письма, пришедшие на адрес
издательства «Невский проспект»:
190068, Санкт-Петербург, а/я 625,
будут переданы автору.**

**Электронный адрес автора:
uspeh2003@list.ru; www.happyfs.ru**

200

ТЕЛ./ФАКС ОТДЕЛА СБЫТА
(812) 235-61-37, 235-70-87, 235-67-96
E-mail: sales@nprospect.sp.ru, sf@nprospect.sp.ru

ОПТОВО-РОЗНИЧНЫЙ МАГАЗИН «Книжный дом „Невский проспект"»
С.-Петербург, пр. Обуховской Обороны, д. 105 (ДК им. Крупской), павильон № 37
E-mail: sale@spbbook.ru, тел. (812) 973-85-87

КНИГА-ПОЧТОЙ: 190068, Санкт-Петербург, а/я 624 «А», тел. (812) 114-68-46

ПРЕДСТАВИТЕЛИ

Санкт-Петербург	«Диля» (812) 314-0561
Москва	«Диля» (095) 261-7396
	«Атберг» (095) 105-51-39
	«Триэрс» (095) 157-4395
	ООО «Кальмарус» (095) 919-9611, 787-5945; gp2r@gpress.ru; kalmarus@gpress.ru
	«РИПОЛ Классик» (095) 513-5777, 513-5785, 513-5471, infosklad@ripol.ru; www.ripol.ru
	«Столица-сервис» (095) 375-2118, 375-3673
	«Лабиринт» (095) 932-79-01, 932-79-02, 932-77-85, 932-29-23
	«Золотой теленок» (095) 158-66-53
	Представитель издательства (095) 998-5972 (*только опт*) www.bookspb.narod.ru
Екатеринбург	«Валео-книга» (3432) 42-0775, 42-5600
Ессентуки	Фирма «Россы» (87934) 3-30-89, 6-34-26; rossy@kmv.ru
Казань	«Таис» (8432) 72-3455; 72-2782
	«Аист-Пресс» (8432) 43-60-31, 43-12-20; ASTP@KAI.RU
Калининград	Сеть магазинов «Книги & книжечки» (0112) 56-65-68, 43-12-39; mag27@kaliningrad.ru Оптовый магазин-склад (0112) 35-3911; vz-book@vester.ru
Киев	ЧП «Петров» (1038044) 452-1161, E-mail: petrov_kiev@svitonline.com
	«Орфей-1» (1038044) 418-8473, 464-4945, 464-4970
Красноярск	«Литэкс» (3912) 55-50-35, 55-50-36, romanova@litex.ru
Новосибирск	«Топ-Книга» (3832) 36-1026, 36-1027
Ростов-на-Дону	ЧП «Остроменский» (8632) 32-1820
	«Фаэтон» 65-6164
Смоленск	«Книжный мир» (08122) 9-1602, 3-1925; salerus@keytown.com
Уфа	«Азия» (3472) 50-3900
Хабаровск	«Мирс» (4212) 22-7124
	«Книжный Мир» (4212)32-85-81, 32-82-50; postmaster@worldbooks.kht.ru
Челябинск	«Интерсервис» (3512) 21-3374, 21-3453
Продажа книг в Европе	www.atlant-shop.com; atlant.book@t-online.de тел. +49 (0) 721-1831212
КНИГА-ПОЧТОЙ наложенным платежом	199397, Санкт-Петербург, а/я 196, ЗАО «Грифъ», тел. (812) 351-8750
	192236, Санкт-Петербург, а/я 300, ЗАО «Ареал», тел. (812) 268-9093, 268-2297; e-mail: postbook@areal.com.ru